Collection *Philosophies vivantes*
sous la direction d'André Carrier

Petit Traité
DE L'ARGUMENTATION
en philosophie

Ginette Legaré
André Carrier

avec la collaboration de

Pierre Després

CEC
LES ÉDITIONS CEC INC.

8101, boul. Métropolitain Est, Anjou, QC, Canada H1J 1
Téléphone: (514) 351-6010   Télécopieur: (514) 351-35

Directeur de l'édition
Alexandre Stefanescu

Directrice de la production
Lucie Plante-Audy

Directrice de la publication
Monique Labrosse

Réviseure linguistique
Ginette Gratton

Correctrice d'épreuves
Audette Simard

Conception et réalisation graphique
Typo Litho composition inc.

Page couverture
Conception et réalisation graphique : Michel Allard

Dépôt légal : 4e trimestre 1996
Bibliothèque nationale du Québec
Bibliothèque nationale du Canada

ISBN 2-7617-1300-1

Imprimé au Canada
1 2 3 4 5 00 99 98 97 96

PRÉSENTATION
DE LA COLLECTION

La collection *Philosophies vivantes* s'adresse aux élèves de niveau collégial. Cette collection réunit des textes philosophiques d'hier et d'aujourd'hui rendant compte de l'histoire de la pensée dans ses diverses manifestations. La connaissance de la philosophie et une relation vivante avec le savoir en constituent les visées premières. Elle favorise donc l'étude des œuvres pour leur apport à une réflexion libre et cultivée. Les textes, choisis pour leur intelligence des grands problèmes de l'existence, peuvent dès lors être fréquentés par les élèves comme s'ils les pensaient eux-mêmes.

Du point de vue didactique, la collection *Philosophies vivantes* repose sur des principes que résume la thèse hégélienne selon laquelle il est impossible de philosopher sans contenus, de penser sans pensées, de concevoir sans concepts. Les uns et les autres doivent être appris :

> *Ce n'est pas seulement devenu un préjugé de la pédagogie — et ici d'une façon encore plus étendue — que lorsqu'on s'essaie à penser par soi-même, en premier lieu la matière n'a pas d'importance, et en second lieu le fait d'apprendre est opposé au fait de penser soi-même : alors qu'en réalité, la pensée ne peut s'exercer que sur une matière qui n'est pas un produit de l'imagination ou une représentation sensible ou intellectuelle, mais une pensée ; et qu'ensuite, une pensée ne peut être apprise que par le fait qu'elle est elle-même pensée[1].*

Cette collection sera vivante dans la mesure où elle suscitera l'intérêt des professeures et des professeurs, et sera soutenue par la curiosité de celles et de ceux à qui l'on demande de s'élever au devoir de penser et à la responsabilité de connaître.

André Carrier
Directeur de la collection

---

1. Hegel, « Lettre à von Raumer du 2 août 1816 », *Correspondance*, t. II, Paris, Gallimard, 1990, p. 93.

AVANT-PROPOS

Les enseignements des philosophes de l'Antiquité sont l'un des fondements de l'apprentissage de l'argumentation. Le *Petit Traité de l'argumentation en philosophie* invite les élèves à appliquer ces enseignements aux questions de l'actualité, jetant ainsi un pont entre la naissance de la rationalité occidentale et l'argumentation telle que nous avons l'occasion de la pratiquer aujourd'hui. Cet ouvrage sera un complément utile aux deux premiers livres de la collection *Philosophies vivantes*, l'*Apologie de Socrate* et le *Criton de Platon*.

La réflexion et l'exercice du jugement exigent de la méthode. Nous proposons ici aux élèves une démarche qui leur permettra d'établir le dialogue avec la philosophie, et de s'exercer à définir et à former des concepts, de même qu'à discuter des thèses, à l'aide des textes philosophiques qu'ils ont charge de travailler et de comprendre.

L'enjeu du *Petit Traité* est plus que scolaire. En effet, ce livre a pour objectif d'apprendre aux élèves à penser d'une manière rigoureuse et critique, de façon qu'ils puissent mieux résoudre les problèmes de la vie personnelle, sociale et professionnelle, sans tomber dans le piège du préjugé ou le confort du relativisme. Il cherche à ancrer chez eux l'habitude d'argumenter pour défendre leurs positions en donnant les raisons qui les motivent et en discutant les objections qui les nuancent.

Remerciements

Ce *Petit Traité* n'aurait pas la forme qu'on lui connaît aujourd'hui sans les judicieux commentaires de plusieurs consultants et consultantes. En nous permettant de profiter de leur longue expérience de l'enseignement, ces personnes ont contribué à la démarche pédagogique du manuel. Nous tenons à remercier Mario Forget (Lévis-Lauzon), Jean-Claude Paquet (Région de l'Amiante), Réal Roy (Limoilou), Florian Côté (Alma), Monique Caverni (Saint-Laurent), Louise Provencher (Ahuntsic) et Francis Bednarz (Institut Teccart). Le travail méticuleux de Margot Sangorrin, qui a révisé le manuscrit, et d'Audette Simard, qui a corrigé les épreuves, est très apprécié. De plus, nous aimerions souligner la contribution de Monique Labrosse, directrice de la publication : la minutie de son travail et son intelligence du sujet auront augmenté la qualité de cet ouvrage. Merci enfin à Alexandre Stefanescu pour son soutien indéfectible.

Les auteurs

TABLE DES MATIÈRES

CHAPITRE 3

L'ARGUMENTATION I

L'EXIGENCE DE RATIONALITÉ

CHAPITRE 4

L'ARGUMENTATION II
LE DISCOURS ARGUMENTATIF

ANNEXES

INTRODUCTION

Le présent manuel se veut un guide au service des étudiantes et des étudiants confrontés au défi d'analyser des textes philosophiques et de rédiger des textes argumentatifs. Il les aidera à se familiariser avec une approche philosophique des questions, à évaluer des argumentations et à argumenter de façon rationnelle. Des textes de philosophes de l'Antiquité seront proposés comme modèles et accompagneront l'apprentissage.

Nous devons en partie aux Grecs de cette époque et à leur démocratie la liberté dans l'exercice de l'art de la discussion. En effet, le régime démocratique donne au peuple le pouvoir de décider. N'étant plus sous le joug d'un roi, les citoyens peuvent converser librement. Réunis en assemblée, ils décident des affaires de leur cité. À l'Assemblée du peuple, les meilleurs orateurs font facilement valoir leur point de vue. Tous les citoyens libres ayant le droit de voter, le fait de savoir les convaincre confère un grand pouvoir. Aussi, des spécialistes de la rhétorique, nommés sophistes, se font fort d'apprendre à leurs élèves l'art de la parole.

Dans la Grèce ancienne, on pratiquait l'éristique[1], l'art de la controverse. Les Grecs étaient amateurs de ces joutes oratoires qui se déroulaient devant un public juge. Socrate et Platon reprirent à leur compte cet art du dialogue que Platon nomma « **dialectique** », mais ils le mirent au service de la recherche de la vérité. La discussion devint un moyen d'augmenter les connaissances. De l'analyse de la parole est née la logique, et de son exercice dans le dialogue ou la discussion publique est né l'art de l'argumentation.

Nous débattons encore aujourd'hui des questions sur la place publique. Pour que le pouvoir n'échappe pas à la vigilance du peuple, les gens doivent savoir défendre leur point de vue et évaluer celui des autres. Une personne privée de la capacité de formuler et de présenter ses idées de façon claire, et d'analyser les discours qui lui sont tenus, se voit limitée dans sa liberté de pensée et d'expression.

Dialectique
Du grec *dialektikê*, « art de discuter », « controverse ». Méthode d'interrogation supposant la discussion et la confrontation d'opinions adverses dans le but d'accéder à la vérité. Chez Platon, la dialectique est étroitement liée au passage de la connaissance sensible à la connaissance intelligible.

---

1. L'éristique est une discussion devant public qui se déroule selon des règles précises et dans un laps de temps limité : l'un des deux disputeurs se contente de poser des questions ; l'autre répond par oui ou par non et n'a pas le droit de faire autre chose. On choisit un thème de discussion. L'interrogé décide de tenir pour vraie une thèse, et le questionneur cherche alors à lui faire admettre une série de points incompatibles avec celle-ci. Le questionneur gagne si, sous la contrainte logique, il conduit son interlocuteur à reconnaître la fausseté de sa thèse.

La délibération et l'échange d'idées sont également indispensables à la conduite de notre propre vie. Si nous refusons de nous en remettre aveuglément à l'Église ou à l'État, il est nécessaire non seulement d'éclairer notre raison à l'aide des divers discours qui nous sont proposés, mais encore de maintenir une distance **critique** à leur égard. C'est aussi dans l'échange que nous acquérons nos connaissances et que le savoir se constitue. C'est d'ailleurs avec la libération de la parole qu'est née la philosophie. En effet, la discussion libre a favorisé l'émergence d'une forme de pensée nouvelle qui prend la raison humaine comme principal instrument de la recherche de la vérité. Argumenter devient, pour des philosophes tels Socrate et Platon, un moyen de développer une pensée éclairée.

Critique
Examen d'un principe, d'un fait, en vue de porter sur lui un jugement d'appréciation, d'un point de vue esthétique ou philosophique. Qui cherche à établir la justesse d'une proposition, d'un fait après examen des objections susceptibles de lui être opposées.

Autonomie
Liberté, indépendance morale ou intellectuelle. Signifie que l'on est en mesure de se donner ses propres normes.

Éclairer la pensée, c'est la libérer des préjugés qui sont souvent confondus avec nos propres opinions; c'est aller au-delà des impressions et des discussions anecdotiques; c'est aussi se défaire des faux savoirs et des croyances afin de s'en remettre à l'**autonomie** de la raison.

Le terme « penser » trouve ses racines dans le mot latin *pendere*, qui signifie « peser ». Lorsqu'une idée nous est présentée, il faut en peser le pour et le contre; nous appelons « critique » cette façon d'examiner les opinions ou les jugements pour en mesurer la valeur. Or, l'argumentation est une façon d'exercer la critique, car elle est un débat d'idées dans lequel les jugements s'exposent et se confrontent. Nous argumentons sans cesse et nous avons constamment à évaluer des argumentations. Qu'il s'agisse d'acheter un bien en mesurant la valeur des propos d'un vendeur ou de la publicité, de défendre nos points de vue dans les rapports familiaux ou professionnels, de nous prononcer sur les débats publics, la morale, la loi, la politique ou simplement le sport, nous avons à comparer des arguments, à établir notre opinion. Il en est ainsi du domaine de la connaissance; par exemple, nous devons évaluer les discours qui nous sont tenus lors de nos lectures.

Ce manuel se divise en quatre chapitres. Dans les deux premiers, nous suivons Socrate qui nous enseigne le passage de la préoccupation particulière au questionnement philosophique par la définition des concepts. Le troisième chapitre est consacré aux règles relatives au développement de la pensée. Le quatrième, quant à lui, porte sur l'argumentation proprement dite, et l'annexe I traite des pièges de l'argumentation ou sophismes.

Chaque étape du travail est abordée à l'aide d'extraits du corpus philosophique et est accompagnée d'exercices visant un savoir-faire déterminé. Dans l'annexe II, un premier tableau propose un cheminement à suivre dans l'analyse d'un texte argumentatif, et un second suggère une démarche conduisant à la rédaction d'un texte argumentatif.

CHAPITRE 1
LA DISCUSSION PHILOSOPHIQUE I
LE PASSAGE VERS
LA PRÉOCCUPATION PHILOSOPHIQUE

Celui qui se sait profond s'efforce d'être clair ;
celui qui aimerait sembler profond
à la foule s'efforce d'être obscur.

Friedrich Nietzsche, *Le Gai Savoir*.

Savoir-faire à développer

Analyse d'un texte

Circonscrire le problème traité dans un texte en déterminant

1. le sujet de préoccupation de l'auteur du texte ;
2. les questions d'ordre philosophique soulevées par le sujet ;
3. les champs de la philosophie dans lesquels se loge le propos (éthique, politique, anthropologique, épistémologique, etc.).

Rédaction d'un texte

Formuler la problématique du sujet à traiter en déterminant

1. les questions d'ordre philosophique suggérées par le sujet ;
2. les champs théoriques dans lesquels il peut se situer (éthique, politique, anthropologique, épistémologique, etc.).

Le présent chapitre entend illustrer ce qu'est le passage d'une préoccupation quotidienne à une discussion philosophique à l'aide d'exemples tirés des dialogues platoniciens mettant en scène Socrate.

LA RECHERCHE DE LA QUESTION

Dans le contexte de l'argumentation, la philosophie est une attitude de la raison qui permet de mieux comprendre le réel. Elle est utile dans toutes les circonstances où il faut se faire une opinion sur un sujet, et dans chaque cas où une décision engageant la vie personnelle ou sociale est à prendre. Elle a comme caractéristique d'engager à une réflexion où seront appréciés différents arguments, et de porter sur les questions fondamentales que présupposent toutes les autres. *Le premier pas vers l'attitude philosophique est de repérer, dans les préoccupations de tout ordre qui se présentent à nous et sur lesquelles nous devons prendre position, les problèmes dont il faut préalablement discuter, car leur solution est indispensable à la construction d'une opinion éclairée. C'est là la première étape de notre démarche vers l'argumentation philosophique.*

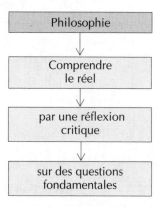

Nous nous en remettrons à des philosophes pour nous guider dans cet apprentissage, et particulièrement à l'initiateur de l'attitude philosophique, Socrate. Deux exemples de cette démarche nous aideront à mieux saisir le passage vers la dimension philosophique ; ils sont tirés des dialogues de Platon.

Le premier exemple est extrait du *Lachès.* Deux pères de famille, Lysimaque et Mélèsias, s'adressent à Nicias et à Lachès, deux militaires, pour savoir s'ils devraient faire apprendre l'escrime à leurs fils. Or, l'opinion des deux conseillers diverge. Socrate est alors appelé à participer au débat. Il conduit ses interlocuteurs vers le fondement de la question. Il leur fait admettre que, pour se faire une opinion sur l'utilité de l'apprentissage de l'escrime, il faut d'abord savoir en quoi consiste le courage. Sa démarche est la suivante : l'apprentissage de l'escrime a pour but de donner aux jeunes une bonne éducation ; or, l'éducation forme l'âme, et la vertu améliore cette dernière. Il faut donc se demander en quoi l'escrime peut rendre vertueux. Il ne s'agit pas de savoir si cette discipline procure toutes les vertus, mais de déterminer si elle peut permettre d'acquérir l'une d'entre elles, en l'occurrence le courage. Les interlocuteurs sont ainsi conduits à discuter de ce qu'est le courage avant de décider si les cours d'escrime le développent. Socrate explique sa façon de voir les choses.

Platon, *Lachès*[1]

SOCRATE : Or, Lachès, à cette heure nous sommes, nous aussi, appelés en consultation par Lysimaque et Mélèsias, pour savoir de quelle façon, une fois réalisée dans les âmes de leurs fils la présence d'une vertu, celles-ci en seront rendues meilleures.

– LACHÈS : Hé ! absolument.   5

– SOCR. : Alors, ne faut-il pas que ceci soit au moins la base de notre recherche : savoir ce que peut bien être la vertu ? Supposons en effet que nous ne sachions même pas, d'aucune manière, ce que précisément peut bien être la vertu, de quelle façon pourrions-nous être, en la matière, de bon conseil pour qui que ce fût, sur le moyen, pour lui, de posséder cela on ne peut mieux ?   10

– LA. : À mon avis, ma foi, d'aucune façon, Socrate !

– SOCR. : Par conséquent, Lachès, nous affirmons savoir ce qu'est en soi la vertu.

– LA. : C'est assurément ce que nous affirmons.

– SOCR. : Mais, si nous le savions, nous dirions aussi, sans nul doute, ce que c'est.   15

– LA. : Comment le nier en effet ?

– SOCR. : Attention, mon excellent ami ! N'allons pas, sans plus attendre, porter notre réflexion sur la vertu tout entière ; car ce serait probablement une besogne excessive ! Mais, pour commencer, voyons, à propos d'une de ses parties, si nous sommes au point voulu pour ce qui est de savoir quelle en est la nature ! Notre   20 recherche, selon toute vraisemblance, en sera facilitée.

– LA. : Eh bien, Socrate ! procédons comme il te plaît.

– SOCR. : Quelle est, entre les parties de la vertu, celle que nous choisirions de préférence ? N'est-ce pas, évidemment, celle à laquelle, pense-t-on, vise l'étude du maniement des armes ? Or, c'est l'opinion générale, je suppose, qu'elle vise à   25 nous donner du courage. N'est-il pas vrai ?

– LA. : C'est tout à fait, bien sûr, l'opinion qu'on s'en fait.

– SOCR. : Eh bien ! mettons-nous alors, pour commencer, à parler de cette partie-là, à dire en quoi peut bien consister le courage. Après quoi, nous réfléchirons par la suite à la façon dont on pourrait en réaliser la présence chez ces   30 jeunes gens, dans quelle mesure il est possible que les objets d'occupation ou d'étude aient cette présence pour résultat. Allons ! essaie de répondre à ce que je dis : Qu'est-ce que le courage ?

Un second exemple de la démarche socratique, issu du dialogue *Alcibiade*, fait encore voir qu'à l'occasion d'une situation particulière on peut progresser vers une réflexion d'ordre universel, qui s'attarde sur des questions fondamentales. Alcibiade est un jeune général réputé pour sa beauté et son arrogance. Il a l'ambition de diriger la cité d'Athènes et parle de son projet à Socrate. Ce dernier lui démontre qu'il ne pourra conseiller les Athéniens sur les affaires qui les concernent sans avoir préalablement défini ce qu'est le juste.

---

1. Platon, *Lachès*, 190 *b-e*, in *Œuvres complètes*, trad. Léon Robin, Paris, Gallimard, coll. La Pléiade, 1950, p. 304-305.

Platon, *Alcibiade*[2]

SOCRATE : Alors, allons-y ! Tu penses donc, c'est ce que j'affirme, à venir te présenter, et dans pas bien longtemps, devant l'Assemblée du peuple pour y donner
aux Athéniens tes avis. Cela étant, supposons qu'au moment où tu te disposes à
t'avancer vers la tribune, je mette sur toi la main et que je te demande : « Alci-
5 biade, quel est le sujet sur lequel les Athéniens ont dessein de délibérer et sur
lequel tu t'es levé pour leur donner ton avis ? T'es-tu levé parce que c'est un sujet
sur lequel ton savoir est supérieur au leur ? » Que me répondrais-tu ?
– ALCIBIADE : Je te dirais, sans doute, que c'est parce que c'est un sujet que je
connais mieux qu'eux !
10 – SOCR. : Alors, si tu es de bon conseil, c'est sur les sujets que précisément tu
connais.
– ALCIB. : Comment le nier en effet ?
[...]

– SOCR. : Quelle est donc la question soumise à leur examen au sujet de la-
15 quelle, t'étant levé pour leur donner ton avis, tu seras alors qualifié pour te lever ?
– ALCIB. : Quand cette question, Socrate, concernera la direction de leurs
affaires !
– SOCR. : Sont-ce les questions de constructions navales que tu veux dire ?
Quelle sorte de navires il leur faut mettre en chantier ?
20 – ALCIB. : Non, Socrate, ce n'est pas à cela que je pense !
– SOCR. : Je ne crois pas en effet que tu connaisses la construction navale : est-ce
pour cette raison, ou pour une autre, que ce n'est pas de cela que tu veux parler ?
– ALCIB. : Non, mais pour cette raison-là.
– SOCR. : De quelle nature, en fin de compte, est la question que tu veux dire,
25 concernant la direction de leurs affaires, à propos de laquelle tu les conseilleras
dans leurs délibérations ?
– ALCIB. : Ce sera, Socrate, à propos des questions de guerre ou des questions de
paix, ou à propos de telle autre question concernant la direction de leurs affaires !
– SOCR. : Tu veux dire quand ils délibéreront sur le point de savoir avec qui il
30 faut faire la paix, contre qui il faut entrer en guerre, et de quelle façon ?
– ALCIB. : Oui.
– SOCR. : Ne faut-il pas que ce soit avec et contre qui il vaudra mieux le faire ?
– ALCIB. : Oui.
– SOCR. : Et au moment où cela vaudra mieux ?
35 – ALCIB. : Hé oui !
– SOCR. : Et pour autant de temps qu'il sera préférable de le faire ?
– ALCIB. : Oui.
[...]

– SOCR. : Bien dit ! Poursuivons donc, et quand il s'agit de ce qui « vaut mieux »
40 en faisant la guerre ou la paix, ce mieux-là, quel nom lui donnes-tu ?
[...]

2. Platon, *Alcibiade*, 106 *c* – 106 *d*, 107 *c* – 107 *e*, 108 *d* – 109 *c*, in *Œuvres complètes*, trad. Léon Robin, Paris, Gallimard, coll. La Pléiade, 1950, p. 207-211.

– SOCR. : Examine dès lors, et mets tout ton zèle à me le dire, quel est cet objet « meilleur » auquel on tend, quand on fait la paix et la guerre, avec ou contre qui il le faut.

– ALCIB. : Je l'examine ; mais je ne peux pas tirer au clair ma pensée ! 45

– SOCR. : Tu ne sais même pas, quand nous nous faisons la guerre, de quel traitement nous nous accusons mutuellement pour en venir à entrer en guerre ; ni quand nous y venons, de quel nom nous appelons ce traitement ?

– ALCIB. : Si, je le sais ! on dit qu'on est la victime, ou d'une fourberie, ou d'une violence, ou d'une dépossession ! 50

– SOCR. : Eh bien ! voyons, comment se qualifie chacun de ces traitements ? Essaie de me dire quelle différence il y a entre les subir de la façon que voici, ou de la façon que voilà.

– ALCIB. : Est-ce que, Socrate, en disant « de la façon que voici » ou « que voilà », tu veux dire d'une façon juste ou bien injuste ? 55

– SOCR. : Cela même.

– ALCIB. : Il est bien certain que, en tout comme pour tout, cela fait de la différence !

– SOCR. : Mais quoi ? Contre lesquels conseilleras-tu aux Athéniens de faire la guerre ? Contre ceux qui commettent l'injustice ? ou contre ceux dont la con- 60 duite est juste ?

– ALCIB. : Étrange question ! Celui en effet qui aurait la pensée de faire la guerre même à ceux dont la conduite est juste, non, celui-là n'en conviendrait pas !

– SOCR. : En effet ce n'est pas légitime, à ce qu'il semble.

– ALCIB. : Non certes ! ni beau non plus, à ce qu'on pense ! 65

– SOCR. : Voilà donc les considérations qui te dicteront tes discours ?

– ALCIB. : Forcément !

– SOCR. : Alors, n'est-il pas vrai que ce « valoir mieux » sur lequel je t'interrogeais tout à l'heure par rapport à la décision de faire ou non la guerre, et à ceux auxquels il faut ou ne faut pas la faire, et dans le temps qu'il faut ou ne faut pas, 70 ce doit être précisément ce qui est plus juste, n'est-ce pas ?

– ALCIB. : Oui, c'est évident !

D'autres dialogues racontent la manière dont Socrate ramène les débats à des questions premières. Dans le *Criton*, la question est de savoir si Socrate, condamné à boire la **ciguë**, doit accepter de s'évader de sa prison comme ses amis le lui proposent. Criton se préoccupe de sa réputation, de son chagrin. Socrate le conduit vers l'application des principes de portée universelle suivants : il est plus important de bien vivre que de vivre, et il est mal de commettre l'injustice. La discussion se déplace alors sur le terrain de la nécessité générale de respecter les lois.

Ciguë
Plante vénéneuse très toxique. Poison qui en est extrait.

Socrate, on le voit, désire conduire la conversation vers la discussion des problèmes fondamentaux dont la solution sert de point d'appui au raisonnement et de base à la pensée. Il faut donc, préalablement à la poursuite d'une argumentation sur un sujet, savoir formuler les questions fondamentales.

Socrate

Socrate vit à Athènes, en Grèce, de ~470 à ~399[3]. Il est l'un des initiateurs de la pensée rationnelle telle que nous la concevons en Occident. Il bouleverse les habitudes de pensée de ses concitoyens en les invitant à se servir de leur raison comme guide d'une vie vertueuse ; ces derniers lui en tiennent rigueur à tel point qu'il est condamné à mort et doit boire la ciguë.

Socrate, le premier, fonde la réflexion sur l'argumentation philosophique. Il pratique la philosophie en conversant avec ses concitoyens. La conversation s'amorce habituellement sur un sujet d'ordre pratique qui préoccupe ses interlocuteurs ; il les amène par une série de questions à prendre conscience de leur incapacité à développer sur le sujet une opinion éclairée et rationnelle. On appelle ce procédé « maïeutique » ou « art d'accoucher les esprits ». Poursuivant ses interrogations, Socrate conduit ses amis à un niveau plus général de réflexion. Le sujet traité, qui semblait concerner une situation particulière, est alors inscrit dans une préoccupation plus large qui concerne les humains dans leur ensemble. Les intervenants constatent ainsi qu'il leur faut situer leur réflexion à un niveau universel.

Platon

Disciple de Socrate, Platon vit de ~429 à ~347. D'origine noble, il aspire à une carrière politique, mais sa rencontre avec Socrate le gagne à la cause de la philosophie. Il voyage beaucoup, principalement en Égypte et en Sicile, et il rencontre de nombreux sages. Il fonde l'Académie à Athènes en ~387 ; on y enseigne les disciplines scientifiques de l'époque comme les mathématiques, l'astronomie et la médecine. Il voue à Socrate une admiration indéfectible et en fait le personnage principal de ses dialogues[4]. C'est grâce à lui que nous connaissons Socrate, car celui-ci n'a rien écrit.

Platon développe un système philosophique fondé sur la conviction que les Idées, essences éternelles et immuables, existent indépendamment de la pensée humaine dans un monde autre que celui dont nous avons l'expérience. C'est par la recherche philosophique que l'âme humaine, elle-même issue du monde des Idées, peut y accéder, s'en souvenir (par la réminiscence).

LA QUESTION PHILOSOPHIQUE

Il y a matière à discussion philosophique lorsqu'une question ne peut être résolue uniquement par l'observation adéquate des faits ou par la recherche d'une connaissance d'ordre scientifique. En d'autres termes, la réflexion philosophique est sollicitée lorsqu'il y a matière à un débat qui fait appel à notre jugement et au cours duquel diverses positions possibles sont examinées à la lumière de la

---

3. Le symbole ~ signifie « avant Jésus-Christ ».
4. On connaît 42 dialogues de Platon, dont certains ne sont peut-être pas authentiques. Une dizaine sont dits socratiques, car ils cherchent simplement à définir des notions. Ce sont les suivants : *Ion, Hippias majeur, Hippias mineur, Lachès, Charmide, Protagoras, Gorgias, Cratyle, Criton, Apologie de Socrate.*

raison. Lorsque le sujet prête à la discussion philosophique, il faut, comme le suggère Socrate, chercher la question fondamentale, c'est-à-dire faire ressortir les problèmes ou les questions qui doivent d'abord trouver une solution ou une réponse avant que nous puissions trancher le débat de façon éclairée.

Ces questions concernent la plupart du temps le sens (pourquoi ?), les finalités (dans quel but ?) et les valeurs mises en cause par le sujet examiné ainsi que ses implications pour l'humain ou la société.

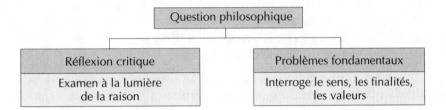

Par exemple, si le sujet est la peine de mort, il peut être abordé sous l'angle juridique en se demandant si cette sanction contrevient au droit des chartes, ou sous l'angle sociologique en s'interrogeant sur sa valeur dissuasive. Les questions philosophiques soulevées seront entre autres les suivantes : Y a-t-il un droit à la vie ? Est-il **inaliénable** et premier ? Y a-t-il un droit à la vengeance ? Prime-t-il sur le droit à la vie ? La société peut-elle justifier le droit de vie ou de mort sur les individus ? On le voit, une interrogation même sommaire fait apparaître la complexité du sujet : il implique une dimension politique en ce qu'il nous ramène à une réflexion sur les droits et les devoirs de la société, ainsi qu'une dimension **éthique** qui fait intervenir une hiérarchie des valeurs et des droits.

Inaliénable
Qui ne peut être cédé, ôté, perdu.

Un sujet tel que la protection de la faune peut être abordé du point de vue écologique en s'interrogeant sur les conséquences de la disparition des espèces animales. Du point de vue philosophique, on se questionnera sur la place qu'occupe l'humain dans la nature : est-il maître, protecteur ou partie intégrante de la nature ? Devraient aussi être discutés les droits des animaux ainsi que la question de la justice et de la responsabilité des humains.

Éthique
Du grec *éthikos*, de *éthos*, « mœurs ». Qui concerne la morale, l'art de diriger la conduite. Science des mœurs et de la morale qui a pour objet les jugements d'appréciation portant sur le bien et le mal.

D'autres problèmes, économiques et politiques, ont également une dimension philosophique. Le plus déchirant de ces problèmes, la distribution des richesses, dépasse largement le cadre comptable et fait appel à la conception de la vie collective (politique) et aux droits humains. Il suscite une réflexion sur les limites de la justice distributive et la responsabilité sociale, le pouvoir, les buts et les devoirs de la société, le droit au bonheur.

Afin de rendre plus facile l'**appréhension** d'un sujet pour en dégager la dimension philosophique, il est bon de connaître les différents champs de la philosophie qui correspondent à ses ordres de préoccupation. Les principaux

Appréhension
Action de saisir par l'esprit, compréhension.

sont la philosophie éthique, qui a pour objet « les jugements d'appréciation lorsqu'ils s'appliquent à la distinction du bien et du mal[5] » ; la philosophie politique, qui analyse « les différentes formes du pouvoir, les rapports entre ce dernier et les citoyens[6] » ainsi que les rapports entre les groupes sociaux ; la philosophie anthropologique, qui s'attache aux conceptions de l'être humain ; l'épistémologie, qui étudie les conditions de la connaissance, et apprécie de manière critique la valeur et la portée objective des principes, des hypothèses et des conclusions des diverses sciences ; la métaphysique, qui s'intéresse à la connaissance des choses divines et transcendantes, ou aux connaissances qui ne dépendent que de la seule raison, en faisant abstraction de l'expérience ; et la logique, qui décrit les règles de la pensée et en précise les conditions de validité formelle indépendamment de son contenu.

Avant d'entreprendre la rédaction d'un texte argumentatif, il faut donc formuler la question philosophique qui permettra la discussion éclairée du sujet. Lorsqu'il s'agit d'admettre l'opinion qui nous est présentée dans un discours argumentatif oral ou écrit, il est nécessaire de comprendre sous quel angle l'auteur a considéré son sujet afin de remonter vers les questions philosophiques auxquelles il répond. Il peut aussi être utile, dans les deux cas, de situer le propos dans le champ de la philosophie dont il relève.

AIDE-MÉMOIRE

Les étapes à suivre dans la poursuite d'une argumentation philosophique

1. *Chercher la question philosophique :*
   a) *elle prête à une réflexion critique, c'est-à-dire à un examen à la lumière de la raison ;*
   b) *elle porte sur le sens, les finalités, les valeurs.*
2. *Formuler cette question.*
3. *La situer dans les principaux champs de la philosophie.*

LES PRÉOCCUPATIONS DE LA VIE QUOTIDIENNE

Il est peu de sujets de la vie quotidienne, qu'il s'agisse de sport, de loisirs, de consommation, de la vie familiale ou sociale, qui ne soulèvent des questions philosophiques. Voici quelques préoccupations qui font appel à des questions philosophiques :

Me marierai-je ? Cette question fait appel à une réflexion sur la relation que nous désirons entretenir avec l'institution et la loi et, par ce biais, soulève le problème du rapport entre l'individu et la société ; elle met aussi en cause

---

5. G. Durozoi et A. Roussel, *Dictionnaire de philosophie*, Paris, Nathan, 1990, p. 119.
6. *Ibid.*, p. 261.

une conception de l'amour, de l'engagement interpersonnel et de sa publicité ; elle confronte les convictions personnelles à la **prégnance** des traditions.

Prégnance
Qui prédomine et s'impose avec force à l'esprit.

Dieu existe-t-il ? Cette question appelle une définition des concepts de croyance et de connaissance. Dieu peut-il être objet de connaissance, vu les conditions de celle-ci ? Pouvons-nous raisonnablement penser qu'il existe, compte tenu des conditions de la croyance et de son rapport avec la connaissance ?

Ce que l'on m'enseigne est-il valable ? Cette question incite en premier lieu à une réflexion sur la connaissance et la vérité : quelles sont les conditions de la connaissance ? Percevons-nous le monde tel qu'il est ? Est-il possible que la raison nous trompe ? L'évidence est-elle un critère de vérité ? Le **consensus** est-il une garantie de vérité ? Est-il nécessaire d'atteindre la certitude ?

Consensus
Consentement, accord entre les personnes.

Dois-je consacrer des efforts à étudier la philosophie alors que cela ne contribue pas directement à trouver un emploi ? La question amène à réfléchir sur la nature et le rôle de l'éducation dans le développement de l'humanité : est-ce une formation destinée à transmettre de génération en génération les habiletés à produire, une préparation des individus à la vie sociale, un enrichissement personnel par la connaissance et le développement des capacités intellectuelles, ou encore les trois à la fois ? Cette question peut conduire à une autre : qu'est-ce que l'humain ?

Dois-je assister à l'assemblée étudiante ? Cette question fait appel au sens de la démocratie : pour que celle-ci existe, suffit-il que des individus principalement préoccupés de leur vie privée votent tous les quatre ans afin de choisir les décideurs, ou la démocratie est-elle un partage du pouvoir impliquant la vigilance et la responsabilité de chacun à l'égard de la collectivité ?

Dois-je acheter un vêtement fait localement ou un autre – moins cher – fabriqué à l'étranger ? Si le pays étranger emploie une main-d'œuvre à bon marché, tolère l'esclavage, comme c'est fréquemment le cas, le choix de l'achat fait en connaissance de cause m'oblige à me questionner sur ma part de responsabilité dans la souffrance humaine, ce qui présuppose que je réfléchisse sur son sens ainsi que sur les exigences de ma liberté.

Faut-il utiliser les transports en commun ou l'automobile ? La réponse à cette question ne va pas sans soulever le problème de l'utilisation des ressources naturelles et celui de notre devoir vis-à-vis des générations futures.

M. Ponomareff / PonoPresse

Le privilège du poète est de prononcer comme une vérité éternelle ce que le philosophe sent qu'il doit prouver par le raisonnement.
W. C. K. Guthrie sur Euripide

Exercice 1.1

Analyse d'un texte

Après avoir relu l'extrait de l'*Alcibiade* (page 6) :
1. Soulignez les mots qui vous paraissent les plus importants (mots clés).
2. Trouvez la question de fait qui sert de point de départ à la discussion.
3. Repérez les quatre questions que Socrate pose à Alcibiade.
4. Repérez la question d'ordre philosophique soulevée.
5. Précisez le champ de la philosophie auquel appartient cette question.

Exercice 1.2

Rédaction d'un texte

1. Sur le modèle de la discussion entre Socrate et Lachès, reproduisez une progression de questions en partant de la question suivante : *Doit-on enseigner l'éducation physique dans les collèges?*
2. En prenant comme modèle la discussion entre Socrate et Alcibiade, imaginez une discussion avec un ami qui désire se présenter comme député.
3. Choisissez une question qui préoccupe actuellement l'opinion publique.
   a) En vous inspirant du modèle socratique, faites-en ressortir les dimensions philosophiques.
   b) Déterminez les champs de la philosophie qui s'y rattachent.

CHAPITRE 2
LA DISCUSSION PHILOSOPHIQUE II
LA CONCEPTUALISATION

Les définitions pourraient être bonnes si on n'employait pas de mots pour les faire.

Jean-Jacques Rousseau, *Émile.*

Savoir-faire à développer

Analyse d'un texte

1. Repérer les concepts les plus importants d'un texte.
2. Trouver les concepts de portée philosophique.
3. Cerner leur définition.

Rédaction d'un texte

1. Déterminer les concepts utiles à la discussion philosophique du sujet.
2. Problématiser les concepts pour en saisir la portée philosophique.
3. Définir les concepts.

L'analyse d'un texte philosophique argumentatif exige de repérer les concepts de portée philosophique qu'il contient ainsi que la définition qui en est donnée ou suggérée. La rédaction d'un texte philosophique argumentatif suppose pour sa part une détermination des principaux concepts utiles à la démarche, leur problématisation et leur définition. C'est afin de rendre plus faciles ces opérations intellectuelles que ce deuxième chapitre s'intéresse à la conceptualisation : nous déterminerons ce qu'est un concept et les règles utiles à sa définition.

QU'EST-CE QU'UN CONCEPT ?

Le Petit Robert définit le mot « concept » comme une « représentation mentale générale et abstraite d'un objet ». Représenter, c'est rendre présent. Le concept rend présente à la raison la réalité, ce qui permet de la penser. Il est l'idée par laquelle les réalités matérielles ou intellectuelles trouvent un mode d'existence dans notre raison. Nous dirons couramment, bien que cela manque de précision, que le concept est l'idée que nous avons d'un objet.

Dire que le concept est général signifie qu'il s'applique à un ensemble de réalités singulières et non à une seule. Par exemple, le concept de *table* est une représentation de toutes les tables qu'une personne a vues ou a pu imaginer : tables rondes ou carrées, à trois, quatre ou six pieds, hautes ou basses, rouges, vertes ou jaunes, de jeu ou à dessin.

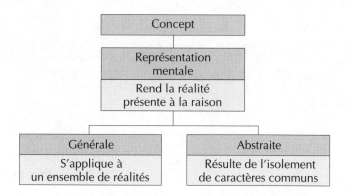

On affirme que le concept est abstrait pour signifier qu'il est le résultat d'une opération par laquelle l'esprit tire d'un ensemble de réalités singulières données dans l'expérience des caractères communs. Par exemple, de l'ensemble des tables sont abstraites une forme qui est commune à toutes, soit la surface plane, et les caractéristiques d'avoir des pieds et d'être utile pour le dépôt d'objets. Il n'a pas été tiré de caractère commun quant à la couleur et au matériau.

LA CONCEPTUALISATION

On appelle « conceptualisation » la construction des concepts. Un même concept peut se construire différemment selon les domaines dans lesquels il est utilisé. Par exemple, pour le mathématicien, la vérité représente une cohérence interne du discours mathématique ; pour l'homme de la rue, elle représente une conformité entre le réel et l'intelligence que nous en avons.

Un concept trouve sa détermination de plusieurs manières. L'acquisition de connaissances, la réflexion et le dialogue sont des facteurs qui concourent à la construction des concepts. Outre cela, le concept reçoit son sens du contexte dans lequel il intervient, comme dans la phrase et le discours, et de l'usage qui en est fait dans une situation de communication. Par exemple, le concept de paix variera selon qu'il est employé dans un énoncé de nature politique tel « il faut travailler à établir la paix dans le monde » ou dans un énoncé relevant de la vie privée tel « j'aime prendre mon petit-déjeuner en paix ». Le sens d'un même énoncé et des concepts qui y contribuent variera selon les circonstances : ainsi en est-il de l'énoncé « Vive la liberté ! » prononcé par le travailleur qui part en vacances ou par un groupe de rebelles qui en ont fait un mot d'ordre pour se libérer de l'oppression.

Le concept se situe aussi dans un réseau et d'autres concepts le délimitent, le précisent, servent à le définir. Prenons comme exemple les termes *faire* et *défaire* ou *refaire* ou, dans un autre registre, ceux de *courage* et de *témérité* qui se délimitent réciproquement.

LE MOT ET LE CONCEPT

Les mots sont une manifestation sonore ou visuelle des concepts. Il est cependant problématique de décrire le rapport entre le mot, qui est un signifiant, et le concept, qui est un signifié ; il est également difficile d'établir le lien entre ces derniers et la réalité à laquelle ils réfèrent. Le mot n'est donc pas le concept ; la traduction d'un concept en différentes langues le prouve, de même que la possibilité pour un mot de signifier plusieurs concepts, comme dans le cas des homonymes[1].

Denis Brodeur

Le bon sens est la chose du monde la mieux partagée.   René Descartes

LA COMPRÉHENSION DU CONCEPT

Les concepts sont hiérarchisés ; certains sont plus généraux et englobent des concepts plus restreints. Ainsi en est-il du concept d'*humain* qui se classe sous les concepts plus généraux d'*animal*, de *mortel* et de *vivant*.

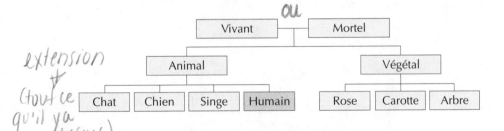

Organisées ainsi, les caractéristiques du concept général s'appliquent également au concept plus restreint qu'il englobe. Ainsi, ce qu'on affirme du mortel et du vivant, on peut aussi le dire de l'animal et du végétal. Et nous pouvons attribuer au chien, au chat et à l'humain les caractéristiques qui appartiennent à l'animal. Tout l'univers conceptuel est ainsi organisé.

---

1. C'est en jouant sur les homonymes que nous pouvons poser la devinette suivante : « Quel est le comble, pour un mathématicien ? Manger des racines carrées à la table de Pythagore. »

Cependant, quand nous connaissons ce que le concept (restreint) d'homme tire du concept (général) d'animal, nous ne savons pas encore le différencier des autres animaux. Il faut alors déterminer les caractéristiques spécifiques qui le démarquent. Un concept comprend donc des caractéristiques, qu'on appelle « attributs », qui lui appartiennent en propre et d'autres qu'il détient en commun avec des concepts plus généraux. L'ensemble des attributs du concept constitue sa « compréhension ».

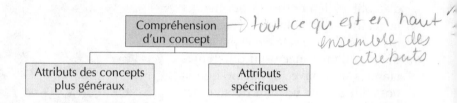

Porphyre, philosophe grec du IIIe siècle, nous donne un exemple d'emboîtement de concepts dans des concepts plus généraux. Il situe le concept d'homme en remontant jusqu'à celui, très général, de substance :

L'arbre de Porphyre

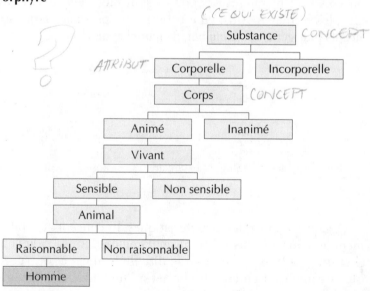

L'homme possède ainsi tous les attributs de l'*animal*, lequel comprend les attributs du *vivant* ; ce dernier est doté des attributs du concept de *corps*, qui comprend les attributs du concept de *substance*, le plus général qui soit ici. L'homme possède aussi en propre l'attribut d'être *raisonnable*.

Cette hiérarchisation ou classification des concepts par ordre décroissant de généralité est utile à la définition. Elle peut devenir complexe. Un concept se logera ainsi sous plusieurs concepts généraux selon l'angle sous lequel on l'aborde. Par exemple, on ne pourra aucunement loger le concept de *pomme* sous celui de *meuble*[2]. Cependant, nous verrons à la lecture de l'extrait de l'*Alcibiade*, proposé à la page 29, que l'humain peut se loger sous le concept de *divin* si on se rapporte à son âme, mais qu'il sera logé sous le concept d'*animal* si on le voit sous l'angle du corps[3].

L'EXTENSION DU CONCEPT

Un concept englobe un grand nombre de réalités singulières. C'est l'ensemble des réalités regroupées sous un concept qui forme son extension. Par exemple, le concept de *vivant* s'étend à tout ce qui vit ; celui d'*animal* est plus restreint ; il ne s'étend pas à ce qui est végétal. Le végétal est dans l'extension du concept de *vivant*, mais non dans celle du concept d'*animal*.

LE RAPPORT ENTRE LA COMPRÉHENSION ET L'EXTENSION DU CONCEPT

Plus un concept est général, plus il a d'extension. Le concept le plus large, celui de l'*être*, qui regroupe tout ce qui a une existence matérielle ou idéale, possède peu de caractéristiques. Celles qu'on lui attribue doivent appartenir en commun à tous les concepts qu'il comprend. Que pouvons-nous dire qui soit commun à la fourmi, au cosmos, à nos rêves, à notre chat et à nous-même ? Par contre, le concept d'*animal*, qui a moins d'extension, contient un plus grand nombre de caractéristiques. Dans notre exemple, le chat, la fourmi et l'humain ont en effet plusieurs caractéristiques en commun. Nous constatons que plus le concept a d'extension, plus large est l'ensemble auquel il s'applique, mais qu'en revanche moins nombreux sont ses attributs. Nous dirons donc que plus le concept a d'extension, moins il a de compréhension, et inversement.

---

2. Que penser de la classification de Borges quand il cite « une certaine encyclopédie chinoise », où il est écrit que « les animaux se divisent en : *a*) appartenant à l'Empereur, *b*) embaumés, *c*) apprivoisés, *d*) cochons de lait, *e*) sirènes, *f*) fabuleux, *g*) chiens en liberté, *h*) inclus dans la présente classification, *i*) qui s'agitent comme des fous, *j*) innombrables, *k*) dessinés avec un pinceau très fin en poils de chameau, *l*) et cætera, *m*) qui viennent de casser la cruche, *n*) qui de loin semblent des mouches » ? Extrait cité dans Michel Foucault, *Les mots et les choses*, Paris, Gallimard, coll. Tel, 1966, préface, p. 7.

3. Soulignons que cette conception de l'humain relève d'une pensée dualiste difficilement conciliable avec les progrès de la science. Nous y référons ici, car nous travaillons dans le cadre de la philosophie antique.

LES CONCEPTS PHILOSOPHIQUES

La démarche que Socrate propose à ses interlocuteurs consiste à développer avec eux une idée ; il réfléchit, il conduit sa pensée afin de connaître davantage et mieux. D'une idée vague, de la multiplicité des expériences, il chemine vers une plus grande précision, une plus grande clarté, une plus grande unité. Il conduit ainsi son interlocuteur à la détermination des concepts philosophiques qui sous-tendent le débat et à leur discussion.

Assise
Base, fondement.

Ces concepts sont fondamentaux, universels et problématiques. Leur caractère fondamental tient au fait qu'ils servent d'**assise** au développement subséquent de la pensée. On les dit universels en raison de leur généralité ; ils prétendent s'appliquer à la totalité des situations particulières qui s'y rapportent. D'autre part, l'universalité vient du fait qu'ils peuvent être acceptés par tous les êtres doués de raison. Et ils sont problématiques en ce qu'ils ne se définissent qu'au terme d'une réflexion critique.

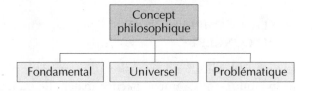

AIDE-MÉMOIRE

1. *Un concept est la représentation mentale générale et abstraite d'un objet.*

2. *L'ensemble des attributs d'un concept est sa compréhension.*

3. *La compréhension est constituée des attributs que le concept possède en commun avec les concepts plus généraux sous lesquels il se loge et des attributs qui lui appartiennent en propre.*

4. *L'ensemble des réalités auxquelles le concept s'applique forme son extension.*

5. *Le concept philosophique est fondamental, universel et problématique.*

LA DÉMARCHE SOCRATIQUE

Aporie
Impossibilité de choisir entre des opinions également argumentées ; difficulté logique ou d'ordre rationnel insoluble.

Avant d'expliquer quelles sont les exigences de la définition, il vous est proposé un exemple de discussion d'un concept en vue de le définir. Il est tiré du *Lachès*. Socrate, Nicias et Lachès tentent de définir le courage. Ils n'y parviennent pas et débouchent sur une **aporie**. Cependant, on trouve dans cet extrait une leçon sur la définition où Socrate enseigne à Lachès la façon de dégager ou d'abstraire, à partir de situations concrètes, des traits communs et généraux applicables à tous les cas de courage et seulement à ceux-ci.

Exercice 2.1

Analyse d'un texte

Après avoir lu l'extrait suivant du *Lachès,* répondez aux questions qui s'y rapportent.

Platon, *Lachès*[4]

Socrate a convaincu les participants à la discussion de la nécessité de définir le courage. « Qu'est-ce que le courage ? », interroge Socrate.

1

– LACHÈS : Par Zeus, Socrate ! il n'est pas difficile de répondre ! Quand on accepte de rester dans le rang et de repousser l'ennemi, au lieu de prendre la fuite devant lui, alors, sache-le bien, on ne peut manquer d'être un homme courageux.

– SOCRATE : C'est fort bien dit, Lachès ! Mais sans doute suis-je cause, faute de m'être exprimé clairement, que ta réponse ne cadre pas avec ce que j'avais en tête, 5 quand je te posais ma question.

– LA. : Que veux-tu dire par là, Socrate ?

– SOCR. : Je vais te l'expliquer, à condition que j'en sois capable. Un homme courageux, c'est bien, je pense, celui dont tu parles, qui, demeurant dans le rang, combattra les ennemis. 10

– LA. : C'est du moins ce que je déclare.

2

– SOCR. : Et moi aussi, effectivement ! Que dire cependant, cette fois, de celui-ci qui, dans la fuite et sans rester dans le rang, combattrait néanmoins l'ennemi ?

– LA. : Courageux, en prenant la fuite ?

– SOCR. : À la façon même, je pense, des Scythes qui, dit-on, ne combattent pas 15 moins en prenant la fuite qu'en poursuivant. On pensera en outre à l'éloge que fait Homère des chevaux d'Énée qui, à l'en croire, savaient avec grande rapidité, ici et là, poursuivre aussi bien que fuir ; et c'est sous ce rapport aussi qu'il a glorifié Énée lui-même, sous le rapport de son savoir en l'art de fuir, quand il l'a appelé : *un maître machinateur de fuite.* 20

3

– LA. : Et il avait raison, Socrate, car c'est de chars qu'il parlait ; de ton côté, tu allègues l'exemple des cavaliers scythes, et c'est en effet ainsi que combat leur cavalerie. Mais l'infanterie de ligne des Grecs combat de la façon que je dis.

4

– SOCR. : À l'exception sans doute, au moins, de celle des Lacédémoniens. À Platées en effet, quand ils furent en face des soldats perses cuirassés de lattes 25 d'osier, ils n'acceptèrent pas, dit-on, de les affronter en combattant sur place, mais ils prirent la fuite ; puis, une fois rompus les rangs des Perses, ils firent volte-face et se battirent à la façon de cavaliers, remportant ainsi la victoire dans cette bataille.

– LA. : C'est la vérité.

---

4. Platon, *Lachès,* 190 *e* – 193 *d*, in *Œuvres complètes,* trad. Léon Robin, Paris, Gallimard, coll. La Pléiade, 1950, p. 304-305.

5

30 – SOCR. : En somme, ainsi que je le disais à l'instant, je suis cause que tu ne m'aies pas bien répondu, parce que je n'avais pas bien posé ma question. Les courageux desquels je souhaitais m'informer auprès de toi, ce n'étaient pas seulement ceux qui le sont dans le combat d'infanterie, mais aussi dans le combat de cavalerie et dans l'ensemble des formes de la pratique guerrière ; ce n'étaient pas non plus seu-
35 lement ceux qui le sont à la guerre, mais aussi ceux qui ont du courage dans les périls auxquels on s'expose sur mer ; et aussi tous ceux qui sont courageux devant la maladie, tous ceux qui le sont devant la pauvreté ou devant les vicissitudes de la vie publique, ni non plus seulement tous ceux qui font face avec courage aux peines et aux craintes, mais ceux aussi qui ont l'énergie de combattre leurs convoi-
40 tises ou leurs plaisirs, aussi bien en restant sur leurs positions qu'en faisant volte-face. Car il y a bien, Lachès, même en ce genre de choses, des hommes courageux !
– LA. : Très courageux, même, Socrate !
– SOCR. : Donc, ils sont courageux, tous ; mais le courage que possèdent les uns a le plaisir pour théâtre, la peine est celui des autres, les convoitises pour ceux-ci, les
45 craintes pour ceux-là, tandis qu'il y en a d'autres, j'imagine, qui, dans les mêmes occasions, font preuve de lâcheté.
– LA. : Hé ! absolument.

6

– SOCR. : Ce que peut bien être chacune de ces deux façons de se comporter, voilà ce que je désirais savoir de toi. Essaie donc, tout d'abord au sujet du cou-
50 rage, de m'expliquer ce qu'il y a d'identique en toutes ces variétés de courage. Mais peut-être ne comprends-tu pas bien encore ce que je veux dire ?
– LA. : Non, pas encore tout à fait.

7

– SOCR. : Eh bien ! voici ce que je veux dire. Si c'était par exemple sur ce que peut bien être la rapidité, que portait ma question, sur ce caractère qui peut, chez nous,
55 se rencontrer aussi bien dans l'acte de courir que dans celui de jouer de la cithare, dans l'action de parler ou dans celle d'apprendre, et dans quantité d'autres ; sur ce caractère que nous possédons même presque en tout ce qui mérite considération : dans les activités de nos mains ou de nos jambes, de notre bouche comme de notre voix ou de notre pensée. N'est-ce pas de la sorte que, toi aussi, tu entends la
60 chose ?
– LA. : Hé ! absolument.
– SOCR. : Que maintenant on me pose cette question : « Socrate, qu'entends-tu par ce caractère auquel, dans tous ces cas, tu donnes le nom de "rapidité" ? », je répondrais au questionneur : « La capacité d'exécuter beaucoup d'actes en peu de
65 temps, voilà ce que, moi, j'appelle "rapidité", eu égard aussi bien à l'émission de la voix qu'à la course et à tout le reste. »
– LA. : Et en le disant tu ne te tromperais pas !

8

– SOCR. : Alors, Lachès, essaie donc à ton tour d'en faire autant pour le courage et de me dire quelle est la capacité, identique dans le plaisir, dans la peine, dans
70 tous les cas où tout à l'heure nous assurions le trouver, à laquelle on donne, en fin de compte, le nom de « courage ».
– LA. : Eh bien ! c'est, à mon avis, une certaine fermeté de notre âme, à parler au moins, s'il le faut, de ce qu'il y a de naturel à tous les cas de la série.

9

– SOCR. : Mais bien sûr, il le faut, au moins si nous devons, nous, répondre à la question posée ! Voici maintenant ce qui est, à mes yeux, évident : c'est que ce n'est pas en vérité toute fermeté d'âme qui, si je ne me trompe, est évidemment, à tes yeux, du courage ! Or voici où j'en trouve la preuve. J'en suis en effet presque certain : toi, Lachès, tu regardes le courage comme une des choses qui sont tout à fait belles... 75

– LA. : Ou plutôt, sois-en pleinement certain, comme une de celles qui sont d'une beauté sans égale ! 80

– SOCR. : Or, la fermeté qui s'accompagne de réflexion est une fermeté d'âme accomplie ?

– LA. : Hé ! absolument.

– SOCR. : Mais que dire de celle qu'accompagne l'irréflexion ? N'est-elle pas, au contraire de l'autre, dommageable et malfaisante ? 85

– LA. : Oui.

– SOCR. : Mais parleras-tu de la beauté d'une chose de cette sorte, alors qu'elle est malfaisante et dommageable ?

– LA. : En tout cas, Socrate, il n'y aurait pas de justice à le faire ! 90

– SOCR. : Donc, au moins n'est-ce pas une fermeté d'âme de cette sorte que tu seras d'accord pour appeler courage, puisque justement elle n'est pas belle et que le courage est une belle chose.

– LA. : Tu dis vrai !

10

– SOCR. : En conséquence, ce serait, d'après ta thèse, la fermeté réfléchie qui se- 95 rait le courage.

– LA. : Cela en a bien l'air !

11

– SOCR. : Voyons maintenant ! En vue de quoi la fermeté est-elle réfléchie ? Est-ce quand la réflexion va à tout indistinctement, aux grands objets comme aux petits ? Supposons par exemple un homme dont la fermeté consisterait à dépenser son ar- 100 gent avec réflexion, parce qu'il sait le bénéfice qu'il trouvera à avoir fait cette dépense ; est-ce cet homme-là que tu appellerais un homme courageux ?

– LA. : Ma foi non, par Zeus !

– SOCR. : Autre exemple : supposons un médecin dont le fils, ou tout autre, est atteint d'une fluxion de poitrine, et demande qu'il lui donne à boire ou à manger ; 105 au lieu de se laisser fléchir, il est plein de fermeté...

– LA. : Pas davantage, cette fermeté ne serait en aucune façon du courage.

– SOCR. : Exemple guerrier maintenant : voici un homme fermement décidé à se battre, qui a tout calculé avec réflexion : la certitude qu'il a d'être secouru par d'autres, l'infériorité numérique et militaire de ceux contre qui il se bat, par rap- 110 port à ceux de son propre camp ; qui a en outre la supériorité de la position ; est-ce cet homme-là, dont la fermeté d'âme s'accompagne d'un tel ensemble de réflexions et de conditions préparatoires favorables que tu déclareras plus courageux que celui qui, dans l'armée opposée, est bien décidé à tenir bon, à être ferme ?

– LA. : Ma foi, Socrate, c'est, à mon avis, celui qui est dans l'armée opposée ! 115

– SOCR. : Il n'en est pas moins vrai cependant que la fermeté d'âme de celui-ci est moins réfléchie que celle du premier ?

– LA. : C'est bien la vérité !

– SOCR. : Alors, c'est, déclareras-tu, celui dont la fermeté d'âme s'accompagne de
120 la connaissance de l'équitation qui, dans un combat de cavalerie, sera inférieur en courage à celui qui est dépourvu de cette connaissance.

– LA. : Ma foi, c'est mon avis.

– SOCR. : Et aussi celui chez qui la connaissance en matière de lancement avec la fronde ou de tir à l'arc, ou de tout autre art, accompagne la fermeté de l'âme.

125 – LA. : Hé ! absolument.

– SOCR. : Dès lors, quiconque, descendant dans un puits ou faisant une plongée, montre dans cette besogne ou dans toute autre du même genre la fermeté de son âme, alors qu'il n'y est point expert, sera, d'après tes déclarations, plus courageux que ceux qui sont experts en ces matières.

130 – LA. : Que pourrait-on effectivement déclarer d'autre, Socrate ?

– SOCR. : Rien, à condition toutefois de s'en faire une semblable idée.

– LA. : C'est pourtant bien l'idée que je m'en fais !

– SOCR. : Il est au moins bien certain, je suppose, que ces sortes de gens, Lachès, ont, en s'exposant à ces périls, une fermeté d'âme plus irréfléchie que ceux dont en
135 cela la pratique s'accompagne de compétence.

– LA. : Évidemment.

12

– SOCR. : Mais auparavant, la hardiesse, la fermeté d'âme qui sont irréfléchies, ne nous est-il pas apparu qu'elles sont vilaines et dommageables ?

– LA. : Hé ! absolument.

140 – SOCR. : Quant au courage, de son côté, nous étions d'accord que c'est une belle chose.

– LA. : Nous étions d'accord en effet.

– SOCR. : Tandis que, à présent, c'est au contraire cette vilaine chose, la fermeté irréfléchie de l'âme, qu'en revanche nous déclarons être du courage !

145 – LA. : Nous en avons bien l'air !

– SOCR. : Ton avis est-il donc que ce soit bien parler ?

– LA. : Non, par Zeus ! ce n'est pas mon avis !

Chaque question trouve sa réponse dans le paragraphe qui porte le même numéro.

1. Quelle est la première définition que Lachès donne du courage ?
2. Par quel exemple Socrate fait-il voir à Lachès la faiblesse de sa définition ?
3. Que répond Lachès pour tenter de sauver la valeur de sa définition ?
4. Quelle est la nouvelle objection de Socrate ?
5. Socrate restreignait-il le courage au seul courage des soldats ?
6. Que demande-t-il à Lachès de lui expliquer au sujet du courage ?
7. Comment Socrate définit-il la rapidité ?
8. Quelle est la seconde définition que propose Lachès ?
9. Quelle est l'objection de Socrate ?
10. Quelle sorte de fermeté d'âme Lachès accepte-t-il finalement d'associer au courage ?
11. Quels sont les trois exemples à l'aide desquels Socrate convainc Lachès de son erreur ?
12. Pourquoi cette définition n'est-elle pas satisfaisante ?

LA DÉFINITION

Lire philosophiquement un texte suppose de savoir repérer les concepts philosophiques et leur définition implicite ou explicite. De la même façon, discuter philosophiquement une question exige une réflexion sur les concepts mis en jeu et leur définition. Par exemple, une discussion éclairée sur le problème du chômage implique la définition de plusieurs concepts, et particulièrement ceux de *travail* et d'*humain*. L'affirmation selon laquelle celui qui ne travaille pas ne mérite pas de partager la richesse collective présuppose que le travail est défini comme un mal nécessaire pour l'humain, lequel est considéré comme un être qui aspire à la passivité ; d'où la conséquence que ceux qui ont la chance d'en être exemptés ne doivent pas participer à la récompense qu'est le revenu. Pour évaluer cette affirmation, nous devons nous demander si nous partageons cette définition du travail et de l'humain. Qu'advient-il de cette proposition si nous considérons que le travail est un acte productif et que l'humain en a besoin pour se valoriser, prendre sa place dans la société et accéder au bonheur ? Le travail ne devient-il pas alors un droit pour tous ?

La définition des concepts est souvent problématique. Par exemple l'affirmation « je suis un humain » fait appel au concept de sujet, au « je[5] ». Or, la manière dont on perçoit le sujet varie : est-il la conscience libre de l'être pensant ou la synthèse de conflits de l'inconscient, ou encore le résultat de déterminants sociaux ? La définition du concept d'humain n'est pas moins importante : âme condamnée à vivre dans un corps, comme le pensent les **dualistes**, ou corps ayant atteint un haut degré de complexité, comme le suggère la science ? Être de raison ou de passion ? Le concept d'être n'est pas moins difficile : il fait l'objet d'une partie de la philosophie qui se spécialise dans l'étude de l'être et que l'on nomme **ontologie**. Définir des concepts tels l'égalité, la justice, la liberté, le beau, le bien peut être l'entreprise de toute une vie et même de l'histoire de l'humanité. Les **moralistes** grecs, qui acceptaient sans aucune réserve l'esclavage, ne partageaient certes pas la définition généralement admise au XXᵉ siècle en Occident des concepts d'égalité et de justice. Des années d'histoire sont derrière la définition actuelle de ces concepts.

Dualiste
Qui a le caractère du dualisme, doctrine qui admet l'existence de deux principes irréductibles, de deux éléments de nature différente, tels que l'âme et le corps dans le dualisme cartésien, ou le bien et le mal dans le manichéisme.

Ontologie
Connaissance de l'être en tant qu'être, de l'être en soi, indépendamment de ses déterminations particulières ; étude ou conception de l'existence en général.

Moraliste
Philosophe qui traite de la morale, c'est-à-dire des principes de jugement et de conduite qui s'imposent à la conscience.

LES RÈGLES UTILES À L'ÉLABORATION D'UNE DÉFINITION

Si nous devons à Socrate et à Platon la recherche des fondements à valeur universelle sur lesquels nous pouvons asseoir notre pensée, c'est Aristote qui se soucia de lui donner ses règles. Celui-ci met en place, dans un ensemble de traités regroupés plus tard sous le titre d'*Organon*, des règles de logique formelle. Disciple de Platon, Aristote s'en dissocia et fonda sa propre école, le Lycée. François Châtelet écrit : « Aristote ne procède donc pas comme Socrate, qui se

---

5. Rimbaud écrira « Je est un autre. »

Univoque
Qui a un seul sens ; qui s'applique dans le même sens à des cas différents. Par exemple, le concept d'animal appliqué au canari et au pinson. Susceptible d'une seule interprétation. Non équivoque.

livre à une critique féroce ; il insiste simplement pour que celui qui parle s'efforce de parler de manière **univoque**, pour que son discours ne soit pas double, comme il arrive couramment[6]. » Nous suivrons ses conseils en abordant sommairement quelques règles qui doivent présider à la définition des concepts.

La mise en situation

Un concept doit être mis en situation pour être défini. Par exemple, le terme « loi » a un sens différent dans un discours scientifique et dans des propos de nature juridique. Ainsi, la définition dépend du contexte. Ajoutons que la définition des concepts change avec le temps, selon l'évolution (ou la régression) des idées ; elle est empreinte consciemment ou non des modèles culturels et des idéologies. Ainsi, lors de la lecture, il faudra situer l'auteur et son œuvre dans leur contexte social et historique pour comprendre la portée des définitions qu'ils suggèrent. Lors de l'élaboration d'une argumentation, la définition devra servir à fonder et à renforcer les arguments.

L'approche par le sens des mots

Divers moyens concourent à la définition des concepts. Le sens courant du mot est une première approche ; il nous est donné par le dictionnaire.

L'analyse de la formation des mots peut aussi aider à saisir ou à délimiter le sens d'un concept. L'étymologie d'un mot retrace son origine et fait voir comment des réalités nouvelles sont nommées à partir de réalités existantes. Ainsi, la philosophie fut nommée à partir des notions existantes d'amitié (*philia*) et de sagesse (*sophia*) : celui qui s'intéresse à la compréhension des phénomènes tant naturels qu'humains sera nommé l'*ami de la sagesse* ou *philosophe*. Roland Barthes réfléchissant sur le mot « savoir » fait remarquer qu'il a la même étymologie que le mot « saveur », ce qui lui fait dire que c'est le goût (des mots) qui fait le savoir fécond[7].

La situation du mot dans son rapport avec les autres mots est aussi d'un important secours. Il a des synonymes et des antonymes qui peuvent aider à en comprendre le sens ; ce dernier sera aussi précisé par la comparaison avec le sens des mots voisins qui, en quelque sorte, le délimitent. Le terme *courage* est par exemple précisé par ceux de *bravoure*, de *lâcheté* et de *témérité*.

L'approche par la compréhension du concept

La définition par la compréhension est très utile pour éclairer la pensée. Elle consiste à énumérer les attributs du concept. La tradition aristotélicienne affirme qu'un concept se définit par son genre prochain et sa différence

---

6. François Châtelet, *Une histoire de la raison*, Paris, Seuil, 1992, p. 58.
7. Roland Barthes, *Leçon* (leçon inaugurale de la chaire de sémiologie littéraire du Collège de France, prononcée le 7 janvier 1977), Paris, Seuil, 1978, p. 21.

spécifique. Le *genre* correspond au concept plus général sous lequel le concept à définir se classe, et la *différence* spécifique correspond aux attributs que ce dernier possède en propre. Le concept est donc doté de tous les attributs du concept plus général ; il possède aussi des attributs spécifiques. Ainsi, Aristote définit l'homme comme un animal raisonnable, ce qui le dote de tous les attributs de l'animal, et y ajoute la rationalité comme détermination spécifique.

La définition n'implique pas une énumération exhaustive des attributs du concept. C'est en choisissant ces derniers qu'un auteur prend parti dans des débats : « Faut-il définir l'humain d'abord par son âme ou par son corps ou par une union des deux ? », demande Socrate. Le choix des attributs fait déjà partie du processus argumentatif.

L'approche par l'extension du concept

Socrate recommande à Lachès de trouver ce qu'il y a d'identique entre toutes les variétés de courage qu'il connaît. Il cherche ainsi, à partir de cas particuliers dans lesquels on reconnaît du courage, à en définir le concept. Il procède de façon inductive ; en prenant pour point de départ l'extension du concept, il cherche à déterminer ses attributs, soit sa compréhension. Inversement, une fois déterminés les attributs du concept, on pourra chercher à circonscrire son extension en énumérant les réalités singulières auxquelles il s'applique.

Cette énumération est souvent problématique. Par exemple, pour définir le concept d'humain, il faudra, lorsque la nature du sujet à traiter le réclame, déterminer s'il s'étend au fœtus : le fœtus est-il dans l'extension du concept d'humain ? On pourra, à l'occasion de discussions éthiques, se demander si certaines situations se trouvent dans l'extension du concept de justice ou de bien.

Il suffit, pour bien définir, d'énumérer suffisamment d'attributs du concept pour que la représentation en soit précise et sans équivoque, et d'établir à quelles réalités il s'applique. La définition doit aussi être cohérente avec l'ensemble de l'argumentation.

Le rôle de l'exemple

L'exemple n'est pas une définition ; cependant, il peut la précéder pour permettre de l'induire, ou encore la corriger ou l'illustrer. Il doit être représentatif et connu de l'interlocuteur.

Le contre-exemple peut être utile pour illustrer ce que le concept n'est pas. Ainsi, il serait possible de compléter la définition de la démocratie en ajoutant que le régime québécois est démocratique et que celui de l'Arabie Saoudite ne l'est pas.

LES TYPES DE DÉFINITIONS

On appelle « définition nominale » celle qui se fait par le sens des mots. La définition essentielle est celle qui dégage l'essence du concept par l'analyse de sa compréhension ; elle fournit le critère pour circonscrire l'application du concept, soit son extension. L'exemple est un auxiliaire de la définition.

Les approches de la définition

nominale   *essentiel*

Sens des mots	Compréhension	Extension	Exemple
Courant	Genre prochain	Induction	Induction
Étymologique	Différence spécifique		Contre-exemple
Lexical			

mise en situation

Souveraineté
Autorité suprême.

Autocratie
Système politique dans lequel le monarque (un seul chef, souvent un roi héréditaire) possède une autorité absolue.

À titre d'exemple, nous tenterons de définir la démocratie. Le dictionnaire indique qu'il s'agit d'un régime politique où la **souveraineté** est exercée par le peuple. Le mot est formé à partir du grec *démos*, peuple, et *kratos*, puissance, pouvoir. On pourrait discriminer le concept par rapport à celui d'**autocratie**. Nous construisons ainsi la définition nominale de la démocratie. La définition essentielle serait la suivante : la démocratie est une forme d'organisation sociale (concept général ou genre prochain) qui a comme particularité d'avoir une constitution qui remet le pouvoir politique au peuple, et de régir les rapports entre les citoyens et entre ceux-ci et l'État par des lois, d'admettre le principe de l'égalité de chacun et de reconnaître des droits égaux à tous (différence spécifique). Le fait d'affirmer que la république est un régime démocratique ainsi que la monarchie constitutionnelle de type anglais ou canadien relève de l'extension du concept. On pourrait illustrer la définition en décrivant le régime politique québécois et apporter un contre-exemple en décrivant celui de l'Arabie Saoudite.

LES ERREURS À ÉVITER

Certains dangers sont à éviter lorsque l'on définit un concept. Voici les principaux.

La définition trop large ou trop restreinte

La définition est trop large si elle énumère uniquement les attributs du concept qui appartiennent en commun à d'autres concepts. Il serait alors possible de faire entrer sous le concept défini des réalités auxquelles on ne voulait pas référer. Ainsi, le fait d'attribuer au concept d'humain les seuls caractères de l'animal vertébré mammifère et primate peut laisser entendre que le chimpanzé est un homme.

Par contre, la définition est trop restreinte si elle prête au concept des attributs qui ne s'appliquent qu'à *certaines* réalités qu'il englobe. Si l'on dit que l'humain est un être à la peau blanche, aux yeux bleus et aux cheveux blonds, on pourrait croire que la majorité des citoyens du Québec ne sont pas des humains. Nous dirons alors que la définition est trop restreinte. Lachès donne une définition trop restreinte du courage lorsqu'il le limite au fait d'accepter de faire face à l'ennemi. Par contre, il en donne une définition trop large lorsqu'il affirme qu'il est une certaine fermeté de l'âme, car toute fermeté de l'âme n'est pas du courage.

Une définition ne sera ni trop large ni trop restreinte si elle convient à tout le défini et au seul défini. Elle sera alors réversible et nous pourrons employer indifféremment dans notre discours aussi bien le terme défini que la définition que nous en donnons. Par exemple, lorsque nous affirmons qu'un triangle est une figure plane à trois côtés, nous devons pouvoir postuler que toute figure plane à trois côtés est un triangle.

Voici des exemples de définitions trop larges et trop étroites : « La philosophie est la recherche de la vérité. » Cette définition est trop large parce qu'elle pourrait s'étendre à la science et à la réflexion religieuse. « La science est l'étude des phénomènes physiques » est une définition trop étroite, car elle ne s'applique qu'à une seule science et néglige toutes les autres.

La définition circulaire *pas bon   tautologie*

Une définition ne doit jamais être circulaire. Cela signifie qu'il ne faut pas se contenter de répéter le terme défini dans la définition ; elle doit apporter une connaissance supplémentaire. Ainsi, si l'on affirme que la démocratie est un régime politique qui reconnaît les droits démocratiques, on n'a pas défini ce mot de façon satisfaisante.

La définition négative *pas bon non plus.*

On ne doit pas définir par la négative. Affirmer que la démocratie est un régime politique non autoritaire est exact, mais ce n'est pas une définition. C'est tout au plus un complément de la définition qui permet de discriminer le concept en disant ce qu'il n'est pas.

concept + attribut
genre + déf. spéci = déf par compréhension
déf essentielle

D'autres erreurs à éviter

émotive poétique

L'exigence de rigueur dans la définition commande dans un premier temps de bannir la définition émotive ; il serait inadmissible de présenter la démocratie comme un régime politique « minable » parce que le gouvernement nous a refusé une bourse d'études.

La définition rigoureuse n'est pas une description, si valable soit-elle ; elle doit situer le concept dans un réseau plus large, donner ses attributs essentiels et s'il y a lieu déterminer son extension. Elle n'est pas non plus une image poétique ; dire que la démocratie est la manifestation de la grandeur et de la vaillance du peuple n'est pas la définir. De plus, la définition n'est pas une énumération de cas singuliers.

En terminant, soulignons qu'une définition, aussi conforme soit-elle à des règles, ne sera jamais close. Nous n'aurons jamais fini de poser, comme le faisait Socrate, la question « Qu'est-ce que ? ».

AIDE-MÉMOIRE

1. *Les étapes à suivre pour définir un concept :*
   a) La mise en situation.
   b) L'approche par le sens des mots.
   c) L'approche par la compréhension du concept.
   d) L'approche par l'extension du concept.
2. *L'exemple est un complément à la définition.*
3. *Les défauts de la définition sont*
   - *la définition trop large ;*
   - *la définition trop restreinte ;*
   - *la définition circulaire ;*
   - *la définition négative ;*
   - *la définition émotive ;*
   - *la description ;*
   - *le cas singulier.*

Exercice 2.2

Analyse d'un texte

Après avoir lu les extraits de l'*Alcibiade,* répondez aux questions qui s'y rapportent.

Platon, *Alcibiade*[8]

On se souvient que Socrate discute avec Alcibiade de son projet de diriger les Athéniens. Il tente de lui faire comprendre qu'il doit parfaire sa formation et sa réflexion avant de réaliser cette ambition. Socrate en est maintenant à convaincre Alcibiade de la nécessité de connaître les hommes avant d'intervenir dans les affaires politiques.

– SOCRATE : Voici en vérité un point encore sur lequel, je pense, on ne différerait d'opinion ?

– ALCIBIADE : Et lequel ?

– SOCR. : Que, de trois choses données, il y en a, j'en ai peur, une au moins qui est l'homme ?   5

– ALCIB. : Quelles trois choses ?

– SOCR. : Âme, corps, et le composé des deux, c'est-à-dire ce tout qu'est un homme.

– ALCIB. : Sans conteste !

– SOCR. : Mais n'est-ce pas en vérité le point dont nous sommes tombés d'accord, 10
que ce qui a l'autorité sur le corps, c'est l'homme ?

– ALCIB. : Nous en sommes tombés d'accord.

– SOCR. : Mais est-ce le corps qui, sur lui-même, a l'autorité ?

– ALCIB. : Nullement !

– SOCR. : C'est sur lui, avons-nous dit en effet, que s'exerce l'autorité ?   15

– ALCIB. : Oui.

– SOCR. : Il ne serait donc pas ce que nous cherchons.

– ALCIB. : Cela n'en a pas l'air !

– SOCR. : Mais est-ce donc au composé des deux qu'appartient l'autorité sur le corps ? et, dès lors, est-ce cela qui est l'homme ?   20

– ALCIB. : Très probablement.

– SOCR. : Rien de moins probable, en vérité ! Car, si l'un des deux composants ne participe pas à l'autorité, il n'y a aucun moyen que l'autorité appartienne au composé des deux.

– ALCIB. : C'est juste.   25

– SOCR. : Or, du moment que ce n'est ni le corps, ni le composé des deux qui est l'homme, il reste, je crois, ou bien que l'homme ce ne soit rien, ou bien, si c'est quelque chose, que l'homme ne soit rien d'autre qu'une âme.

– ALCIB. : Oui, ma parole !

– SOCR. : Mais dois-je t'expliquer, avec un peu plus de clarté encore, que c'est 30
l'âme qui est l'homme ?

– ALCIB. : Non, par Zeus! Mon avis est au contraire que cela suffit comme cela. [...]

---

8. Platon, *Alcibiade*, 130 *a* – 130 *c*, 130 *e* – 131 *a*, 133 *b* – 133 *c*, in *Œuvres complètes*, trad. Léon Robin, Paris, Gallimard, coll. La Pléiade, 1950, p. 242-243, 246-247.

– SOCR. : C'est donc notre âme que nous invite à connaître celui qui prescrit de se connaître soi-même.

35 – ALCIB. : Il le semble bien.

– SOCR. : Ainsi donc, connaître telle ou telle des parties de son corps, c'est connaître les affaires qui nous appartiennent à nous-même, mais ce n'est pas se connaître soi-même.

– ALCIB. : C'est exact. […]

40 – SOCR. : Donc, cher Alcibiade, si l'âme doit se connaître elle-même, n'est-ce pas vers une âme qu'elle devra regarder, et spécialement vers ce point de l'âme qui est le siège de la vertu propre d'une âme, c'est-à-dire sa sagesse, et vers tel autre point auquel justement ressemble celui-là ?

– ALCIB. : C'est bien mon avis, Socrate.

45 – SOCR. : Or, sommes-nous à même de dire qu'il y ait dans l'âme quelque chose de plus divin que ce à quoi se rapportent l'acte de connaître et celui de penser ?

– ALCIB. : Nous n'en sommes pas à même.

– SOCR. : C'est donc au Divin que ressemble cette fonction de l'âme, et, 50 quand on regarde de son côté et qu'on reconnaît tout ce qu'elle a de divin, c'est ainsi que l'on pourra le mieux se connaître.

– ALCIB. : Évidemment.

– SOCR. : Mais n'est-ce pas parce que, tout ainsi qu'un miroir est plus clair que l'image mirée dans l'œil, et plus pur, et plus brillant de lumière, Dieu est 55 aussi une réalité plus pure justement, plus brillante de lumière que ce qu'il y a de meilleur en notre âme ?

– ALCIB. : Cela en a l'air, Socrate.

– SOCR. : Donc, en dirigeant vers Dieu nos regards, nous userions, eu égard à la vertu d'une âme, de ce qu'il y a de plus beau, où se puissent mirer même les 60 choses humaines ; et c'est ainsi que nous nous verrions, que nous nous connaîtrions le mieux nous-mêmes !

– ALCIB. : Oui.

---

1. *a)* Trouvez les trois concepts qui pourraient servir à définir le concept d'homme.
   b) Lequel de ces concepts correspond au concept d'homme ?

2. Quel est le rapport entre le concept de corps et le concept d'homme ?

3. Quel est le principal attribut du concept d'âme selon Socrate ?

4. Sous quel concept plus large peut-on classer les concepts de connaissance et de pensée ?

5. Comment pouvons-nous le mieux connaître le concept d'humain ?

6. Complétez le réseau conceptuel qui illustre comment Socrate rattache l'humain au divin :

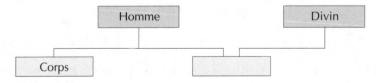

Exercice 2.3

Analyse d'un texte

Dans le texte qui suit, Aristote discute la définition du bonheur. Après avoir lu l'extrait de l'*Éthique de Nicomaque*, répondez aux questions qui s'y rapportent.

Aristote, *Éthique de Nicomaque*[9]

CHAPITRE VII

1

Mais en voilà assez sur ce sujet. Revenons maintenant à la question du souverain bien et à sa nature. Il est évident qu'il varie selon les activités et selon les arts. Par exemple, il n'est pas le même pour la médecine et la stratégie, et ainsi de suite. Quel est donc le bien pour chacun ? N'est-ce pas celui en vue duquel on fait tout le reste ? Or pour la médecine, c'est la santé, pour la stratégie la victoire, pour l'ar- 5 chitecture la maison et ainsi de suite ; bref, pour toute action et tout choix réflé- chi, c'est la fin, puisque c'est en vue de cette fin que tout le monde exécute les autres actions. Aussi, s'il y a une fin, quelle qu'elle soit pour toutes les actions possibles, ce serait elle le bien réalisé. S'il y a plusieurs fins, ce sont précisément ces fins. Ainsi donc notre raisonnement, à force de progresser, revient à son point 10 de départ. Mais il faut tenter de donner de plus amples éclaircissements.

2

Il y a donc un certain nombre de fins, et nous cherchons à atteindre certaines d'entre elles non pour elles-mêmes, mais en vue d'autres fins encore, par exem- ple, l'argent, les flûtes et en général tous les instruments ; puisqu'il en est ainsi, il est évident que toutes les fins ne sont pas des fins parfaites. Mais le bien suprême 15 constitue une fin parfaite, en quelque sorte. Si bien que la fin unique et absolu- ment parfaite serait bien ce que nous cherchons. S'il en existe plusieurs, ce serait alors la plus parfaite de toutes.

3

Or nous affirmons que ce que nous recherchons pour soi est plus parfait que ce qui est recherché pour une autre fin ; et le bien qu'on ne choisit jamais qu'en vue 20 d'un autre n'est pas si souhaitable que les biens considérés à la fois comme des moyens et comme des fins.

4

Et, tout uniment, le bien parfait est ce qui doit toujours être possédé pour soi et non pour une autre raison.

5

Tel paraît être, au premier chef, le bonheur. Car nous le cherchons toujours pour 25 lui-même, et jamais pour une autre raison. Pour les honneurs, le plaisir, la pen- sée et toute espèce de mérite, nous ne nous contentons pas de chercher à les at- teindre en eux-mêmes — car même s'ils devaient demeurer sans conséquences,

---

9. Aristote, *Éthique de Nicomaque*, livre I, chapitre VII, 1 à 15, trad. Jean Voilquin, Paris, Garnier-Flammarion, 1965, p. 27-29.

nous les désirerions tout autant —, nous les cherchons aussi en vue du bonheur,
30 car nous nous figurons que par eux nous pouvons l'obtenir. Mais le bonheur
n'est souhaité par personne en vue des avantages que nous venons d'indiquer, ni,
en un mot, pour rien d'extérieur à lui-même. Or il est évident que ce caractère
provient du fait qu'il se suffit entièrement. Le bien suprême, en effet, selon l'opinion commune, se suffit à lui-même. Et quand nous nous exprimons ainsi, nous
35 entendons qu'il s'applique non pas au seul individu, menant une vie solitaire,
mais encore aux parents, aux enfants, et, en un mot, aux amis et aux concitoyens, puisque, de par sa nature, l'homme est un être sociable. Mais il faut fixer
à cette notion une limite car, en l'étendant aux ascendants et aux descendants, et
aux amis de nos amis, on recule à l'infini. Eh bien ! il nous faudra examiner ce
40 point plus tard. Mais nous posons en principe que ce qui se suffit à soi-même,
c'est ce qui par soi seul rend la vie souhaitable et complète. Voilà bien le caractère
que nous attribuons au bonheur ; disons aussi celui d'être souhaité de préférence
à tout et sans que d'autres éléments viennent s'y ajouter ; dans le cas contraire, il
est évident que le moindre bien le rendra encore plus désirable. Car le bien
45 ajouté produit une surabondance et plus grand est le bien, plus il est souhaitable.
Donc, de l'aveu général, le bonheur est complet, se suffit à lui-même puisqu'il est
la fin de notre activité.

6

Mais, peut-être, tout en convenant que le bonheur est le souverain bien, désire-
t-on encore avoir quelques précisions supplémentaires. On arriverait rapide-
50 ment à un résultat en se rendant compte de ce qu'est l'acte propre de l'homme.
Pour le joueur de flûte, le statuaire, pour toute espèce d'artisan et en un mot
pour tous ceux qui pratiquent un travail et exercent une activité, le bien et la
perfection résident, semble-t-il, dans le travail même. De toute évidence, il en
est de même pour l'homme, s'il existe quelque acte qui lui soit propre. Faut-il
55 donc admettre que l'artisan et le cordonnier ont quelque travail et quelque activité particuliers, alors qu'il n'y en aurait pas pour l'homme et que la nature
aurait fait de celui-ci un oisif ? Ou bien, de même que l'œil, la main, le pied et
en un mot toutes les parties du corps ont, de toute évidence, quelque fonction
à remplir, faut-il admettre pour l'homme également quelque activité, en outre
60 de celles que nous venons d'indiquer ? Quelle pourrait-elle être ?

7

Car, évidemment, la vie est commune à l'homme ainsi qu'aux plantes ; et nous
cherchons ce qui le caractérise spécialement. Il faut donc mettre à part la nutrition et la croissance. Viendrait ensuite la vie de sensations, mais, bien sûr, celle-ci
appartient également au cheval, au bœuf et à tout être animé.

8

Reste une vie active propre à l'être doué de raison.

9

Encore y faut-il distinguer deux parties : l'une obéissant, pour ainsi dire, à la raison, l'autre possédant la raison et s'employant à penser. Comme elle s'exerce de
cette double manière, il faut la considérer dans son activité épanouie, car c'est
alors qu'elle se présente avec plus de supériorité.

10

Si le propre de l'homme est l'activité de l'âme, en accord complet ou partiel avec 70
la raison ; si nous affirmons que cette fonction est propre à la nature de l'homme
vertueux, comme lorsqu'on parle du bon citharède et du citharède accompli et
qu'il en est de même en un mot en toutes circonstances, en tenant compte de la
supériorité qui, d'après le mérite, vient couronner l'acte, le citharède jouant de la
cithare, le citharède accompli en jouant bien ; s'il en est ainsi, nous supposons 75
que le propre de l'homme est un certain genre de vie, que ce genre de vie est l'activité de l'âme, accompagnée d'actions raisonnables, et que chez l'homme accompli tout se fait selon le Bien et le Beau, chacun de ses actes s'exécutant à la
perfection selon la vertu qui lui est propre. À ces conditions, le bien propre à
l'homme est l'activité de l'âme en conformité avec la vertu ; et, si les vertus sont 80
nombreuses, selon celle qui est la meilleure et la plus accomplie. Il en va de
même dans une vie complète.

L'ordre des questions correspond à la numérotation des paragraphes.

1. Comment se définit le bien ?
2. Quelle est la caractéristique du bien suprême ou du souverain bien ?
3. À quel principe Aristote a-t-il recours pour définir une fin parfaite ?
4. Quelle est la définition du bien parfait (souverain bien) ?
5. Comment justifie-t-il que le bonheur corresponde à cette fin parfaite ?
6. Si le bonheur est le souverain bien, il s'agit maintenant de compléter la définition en ajoutant des éléments à la définition du bonheur. Comment Aristote compte-t-il arriver à un résultat ?
7. Pourquoi faut-il écarter la nutrition, la croissance et la sensation comme actes propres à l'homme ?
8. À partir de quelle caractéristique Aristote tentera-t-il de trouver l'acte qui est propre à l'homme ?
9. Quelles sont les deux parties de la vie active de l'être doué de raison ?
10. À ce moment du développement de la pensée de l'auteur, que répondriez-vous à la question : « Qu'est-ce que le bonheur pour l'homme ? »

Aristote

Aristote naît en ~384 à Stagire, ville de Macédoine. Il est le fils de Nicomaque, médecin au service du roi de Macédoine. À Athènes, il étudie à l'Académie de Platon, dont il est le disciple pendant 20 ans. Vers ~342, il est chargé de l'éduca-tion d'Alexandre, fils de Philippe, roi de Macédoine. En ~335, Aristote revient à Athènes et fonde sa propre école, le Lycée. À la mort d'Alexandre, craignant qu'on lui fasse un procès pour impiété, il se retire à Chalcis où il meurt un an plus tard en ~322. Il a un fils nommé Nicomaque.

Aristote se démarque peu à peu de la philosophie de Platon et rejette sa théorie des Idées. Il croit que la connaissance procède de l'observation des objets réels. Esprit encyclopédique, il s'intéresse à l'ordre de la pensée, à la morale, à la politique, à la *physis* (étude du monde inanimé) ainsi qu'à la biologie, à la psychologie et à la physiologie.

Exercice 2.4

Rédaction d'un texte

1. Choisissez un sujet de rédaction qui correspond à vos préoccupations immédiates.
2. En vous inspirant du modèle socratique, faites-en ressortir les questions d'ordre philosophique.
3. Déterminez les champs de la philosophie qui s'y rattachent.
4. Trouvez les concepts de portée philosophique utiles à la discussion.
5. Par une interrogation sur leur compréhension et leur extension, construisez une problématique.
6. Faites l'inventaire des définitions possibles en vous référant aux diverses approches possibles.
7. Explorez les conséquences de différentes définitions sur le développement du sujet.
8. Formulez la définition que vous retenez.

CHAPITRE 3
L'ARGUMENTATION I
L'EXIGENCE DE RATIONALITÉ

De deux choses lune, l'autre c'est le soleil.

Jacques Prévert, *Paroles.*

Savoir-faire à développer

Analyse d'un texte

1. Discriminer les jugements des autres énoncés dans un texte.
2. Reconnaître les jugements de réalité, de valeur, de préférence et de prescription.
3. Repérer les valeurs qui fondent les jugements de valeur et de prescription.
4. Déterminer les faits qui justifient les jugements de prescription.
5. Reconnaître les prémisses et la conclusion de l'argumentation.
6. Apprécier la cohérence logique d'une argumentation.

Rédaction d'un texte

1. Discriminer les jugements des autres types d'énoncés.
2. Reconnaître les jugements de réalité, de valeur, de préférence et de prescription dans son propre discours.
3. Déterminer les valeurs mises en cause par les jugements de valeur et de prescription, et préciser leur sens.
4. Trouver les faits qui justifient les jugements de prescription.
5. Ordonner les prémisses de la conclusion d'une argumentation.
6. Élaborer une argumentation cohérente.

LA LOGIQUE ET L'ARGUMENTATION

Argumenter, c'est élaborer un discours en vue de défendre un point de vue. Il y a argumentation lorsque plusieurs opinions sont possibles ; en effet, devant l'évidence, personne n'argumente.

Le discours argumentatif est construit pour convaincre du bien-fondé d'une thèse. Cette dernière est l'énoncé qui exprime le point de vue que l'on entend défendre. En d'autres termes, elle est la conclusion recherchée, et les arguments sont des **raisonnements** qui conduisent, de la façon la plus nécessaire possible, à son acceptation. Ils sont les **prémisses** de cette conclusion. Lorsque la raison, compte tenu des arguments qui lui sont présentés, doit accepter la thèse, le discours argumentatif a pleinement atteint son but[1].

Raisonnement
Opération qui consiste à lier logiquement des jugements et à en tirer une conclusion. Enchaînement de raisons préparant une conclusion.

Prémisse
Proposition dont découle une conclusion, fondement d'un raisonnement.

---

1. Dans le discours, des indicateurs logiques aident le lecteur à reconstituer l'ordre d'un texte. Par exemple, pour indiquer une prémisse, l'auteur aura recours à des expressions ou à des mots tels que : *attendu que, car, cependant, d'ailleurs, en effet, étant donné que, mais, or, parce que, par exemple, puisque, vu que* ; pour conclure, il utilisera, entre autres choses : *alors, ainsi, donc, par conséquent, il en découle que.*

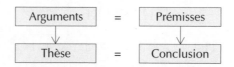

Essayez de parler clairement et vous deviendrez philosophe, disait Aristote[2]. Pour nous y aider, il développa ce que nous appelons maintenant la logique[3]. C'est une partie de la philosophie qui s'intéresse à l'étude de la raison dans le langage ou à l'étude du discours rationnel[4]. Elle est utile à l'appréciation et à l'élaboration d'une argumentation.

LA VALIDITÉ ET LA VÉRITÉ

Une conclusion est valide lorsque le raisonnement qui nous y conduit est logiquement bien construit. Elle est vraie si elle correspond au réel. La logique s'intéresse à la validité des conclusions alors que l'argumentation cherche aussi à convaincre de leur vérité. Ainsi, il serait logiquement valide de dire que, si toutes les fraises sont bleues, les fraises qui sont dans mon panier sont bleues.

La validité logique est une condition nécessaire de la vérité. Un esprit éclairé ne se laissera pas convaincre de la vérité d'une conclusion qui découle d'un raisonnement qui n'est pas logiquement construit. Mais la validité n'est pas une condition suffisante. Un raisonnement bien construit ne convaincra pas s'il apparaît que ses prémisses sont fausses. Nous refuserons par exemple d'accepter que les fraises soient bleues.

Nous étudierons certains axiomes, et quelques caractéristiques du jugement et du raisonnement.

LES AXIOMES

Axiome
Principe tenu pour vrai ou proposition générale posée *a priori*, à la base de toute démonstration ; il se distingue du postulat en ce que celui-ci peut être remis en doute.

Les **axiomes** sont des principes qui se situent à la base du raisonnement ; une pensée qui ne les respecte pas ne peut pas se structurer. Nous en aborderons trois, soit le principe d'identité, le principe de non-contradiction et le principe du tiers exclu.

LE PRINCIPE D'IDENTITÉ

« Le principe d'identité affirme qu'une chose est elle-même : A = A[5]. » Cela paraît assez évident. Ce principe réfère à la permanence de l'identité d'un objet : il

---

2. François Châtelet, *Une histoire de la raison*, Paris, Seuil, 1992, p. 62.
3. Le terme « logique » est dérivé du mot grec *logos* qui signifie « raison et langage », et qui avait aussi le sens de « raison présidant à l'ordre des choses et de l'univers ».
4. Gilbert Hottois, *Penser la logique*, Bruxelles, De Boeck-Wesmael s.a., 1989, p. 3.
5. Alain Lercher, *Les mots de la philosophie*, Paris, Belin, coll. Le français retrouvé, 1985, p. 133.

demeure toujours lui-même. Son application est moins évidente. Le respect de ce principe commande que, dans un raisonnement, les termes employés aient toujours la même signification et que la valeur de vérité d'une proposition reste constante : si elle est tenue pour vraie, elle le restera ; il en est de même si elle est tenue pour fausse. Appliqué au texte argumentatif, ce principe permet de comprendre pourquoi les **glissements** de sens, au cours d'une argumentation, affectent sa qualité logique s'ils ne sont pas expliqués et fondés. Par extension, on peut affirmer que les principes et les valeurs soutenus doivent être respectés tout au long du discours.

Glissement
Changement du sens d'un mot par déplacement d'une idée à l'autre.

LE PRINCIPE DE NON-CONTRADICTION

« Ce principe affirme que le contraire du vrai est faux » ou qu' « une même proposition ne peut pas être à la fois vraie et fausse[6] ». Ce principe exige de ne pas se contredire. Appliqué à l'argumentation, nous en déduisons qu'un argument ne doit pas se contredire lui-même, que les arguments ne doivent pas se contredire entre eux et que la thèse ne doit pas être en contradiction avec l'un ou l'autre des arguments. Il serait logiquement contradictoire pour des francophones québécois de revendiquer l'affichage unilingue français, d'une part, parce que leur langue est menacée et, d'autre part, parce que c'est la langue d'usage de la majorité. Pour surmonter la contradiction, il faut faire intervenir d'autres facteurs tels que la situation du Québec sur le continent américain.

Par une extension de ce principe, nous retenons que l'honnêteté intellectuelle impose d'éviter d'appuyer une thèse sur des arguments que l'on a déjà contredits dans la défense d'une autre thèse. Je ne peux à la fois revendiquer l'autonomie et l'égalité des femmes lorsqu'il s'agit de refuser le paiement d'une pension alimentaire, et invoquer le fait qu'elles n'apportent qu'un revenu d'appoint pour défendre l'idée que les hommes doivent être prioritaires sur le marché du travail.

LE PRINCIPE DU TIERS EXCLU[7]

Ce principe stipule que « deux propositions contradictoires ne peuvent être simultanément vraies, la vérité de l'une impliquant la fausseté de l'autre[8] ». À ce principe se heurte l'idée — malheureusement répandue — que toutes les opinions se valent. L'application de cet axiome interdit de faire des compromis du genre « tu as ton opinion et j'ai la mienne » lorsque deux idées sont en contradiction.

---

6. Alain Lercher, *Les mots de la philosophie*, Paris, Belin, coll. Le français retrouvé, 1985, p. 133. Ce principe est aussi appelé « principe de contradiction ».
7. La validité illimitée de ce principe a été contestée par plusieurs logiciens et mathématiciens. (Voir André Lalande, *Vocabulaire technique et critique de la philosophie*, Paris, P.U.F., 1983, p. 1132.)
8. Gérard Durozoi et André Roussel, *Dictionnaire de philosophie*, Paris, Nathan, 1990, p. 333.

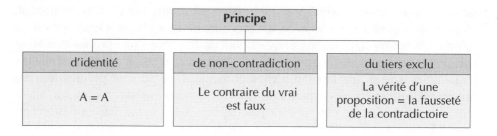

Principe		
d'identité	**de non-contradiction**	**du tiers exclu**
A = A	Le contraire du vrai est faux	La vérité d'une proposition = la fausseté de la contradictoire

LE JUGEMENT

Trois opérations sont à la base de l'articulation d'une pensée logique ; la première est la construction du concept par la définition ; la deuxième est le jugement qui est une « opération **cognitive** mettant en rapport deux concepts[9] » en vue d'affirmer ou de nier une certaine relation entre eux ; le jugement est exprimé dans la proposition ; la troisième opération est la mise en relation des jugements dans le raisonnement. La définition ayant fait l'objet du chapitre précédent, nous nous attarderons maintenant aux deux autres opérations.

Cognitif
Relatif à la connaissance.

Dès que le plus faible des hommes a compris qu'il peut garder son pouvoir de juger, tout pouvoir extérieur tombe devant celui-là.
Alain

Seuls les énoncés déclaratifs susceptibles d'être vrais ou faux contiennent des jugements. Les énoncés impératifs ou interrogatifs n'en contiennent pas. Ainsi, l'énoncé « la philosophie est intéressante » comporte un jugement. La question « La philosophie est-elle intéressante ? » n'en contient pas. L'injonction « Intéressez-vous à la philosophie ! » n'est pas non plus un jugement, bien qu'elle s'appuie sur le jugement que « la philosophie est intéressante ».

Un énoncé peut contenir plusieurs jugements. Ainsi en est-il des propositions suivantes : « La philosophie est enrichissante et elle conduit à une plus grande autonomie de la raison. » Par ailleurs, un jugement peut résulter de la combinaison de plusieurs propositions : l'énoncé « la philosophie conduit à la sagesse, voilà pourquoi elle est intéressante » met en relation la sagesse et l'intérêt. Le jugement porté est que « la sagesse est intéressante ».

9. *Encyclopédie philosophique universelle, II, Les notions philosophiques, Dictionnaire*, volume dirigé par Sylvain Auroux, Paris, P.U.F., 1990, p. 1399.

Les jugements sont des éléments du discours argumentatif qu'il faut savoir reconnaître, et c'est en vue de l'analyse de l'argumentation que nous les classons selon quatre types : les jugements qui constatent des *faits*, ceux qui indiquent une *préférence*, ceux qui portent une *appréciation* et ceux qui énoncent une *prescription*. Ces quatre types de jugements s'utilisent différemment dans l'argumentation et n'ont pas la même valeur persuasive.

LE JUGEMENT DE RÉALITÉ

Le jugement de réalité ou de fait est un constat ; il porte sur un fait observable, un évènement, une réalité existante ou les propos d'une personne telle qu'un auteur, un témoin. Il se veut exempt d'interprétation subjective et, dans cette mesure, il se vérifie par l'observation. Par exemple, l'énoncé « personne ne remercie du temps dont on lui fait cadeau » constate un fait. L'affirmation « Sénèque a écrit que personne ne pense à remercier du temps dont on lui fait cadeau » reconnaît aussi un fait. Pour démontrer le bien-fondé d'un tel jugement, il s'agit de vérifier le fait avancé. Certes, les choses ne sont pas toujours si simples : d'une part, les faits, comme les écrits, portent la plupart du temps à interprétation et sont dès lors objets d'argumentation où des théories diverses se mesurent ; d'autre part, dans l'argumentation, nous acceptons des jugements de réalité sur la foi de ce qu'affirment la science ou des témoins. Dans ces deux derniers cas, la crédibilité des arguments qui comportent de tels jugements dépendra de celle de la source.

LE JUGEMENT DE PRÉFÉRENCE

Le jugement de préférence est assimilable à un jugement de réalité. Il affirme un goût, un penchant subjectif. Il s'agit là d'un fait. Aux fins de l'argumentation, ce jugement n'a pas de valeur **normative**. Ainsi, lorsque quelqu'un affirme préférer la lecture comme loisir, nous pouvons sans doute discuter la justification de sa préférence, mais nous pouvons difficilement nier l'existence de cette préférence.

LE JUGEMENT DE VALEUR

Le jugement de valeur implique une appréciation, une évaluation fondée sur des critères le plus souvent implicites. Par exemple, l'énoncé « le temps est un bien précieux » est un jugement de valeur. Qu'est-ce qu'un bien ? Quels sont les critères pour juger de ce qui est un bien pour l'humain ? Ce type de jugement fait intervenir des **valeurs**. Celles-ci ne sont pas nécessairement partagées par tous et, étant partagées, elles ne sont pas toujours définies par chacun de la même manière. Ainsi, le beau, le bon, le bien et le juste sont des valeurs à peu près unanimement partagées ; par contre, la fidélité, la franchise, l'efficacité et la sécurité sont des valeurs plus discutables. Et quand elles sont partagées, des valeurs telles que le juste prennent parfois un sens différent selon les personnes :

Normatif
Qui a force de règle, qui pose une norme à laquelle on doit se conformer.

Valeur
Caractère de ce qui est considéré comme digne d'intérêt, d'estime, de ce qui a de la qualité ; caractère de ce qui est recevable ou peut faire autorité du point de vue d'une règle ; assertion impliquant une appréciation sur ce qui est énoncé comme un fait ; principe idéal auquel se réfèrent les membres d'une collectivité pour fonder leur jugement, diriger leur conduite.

la conception de la justice qui règle les rapports entre prisonniers n'est pas d'emblée la même que celle qui anime les tribunaux. Certaines réalités peuvent être érigées en valeurs, telles la famille, l'Église ou l'école.

Arbitraire
Qui ne relève d'aucune règle, d'aucun critère.

Le jugement de valeur est subjectif, car il implique un choix. Cependant, il ne doit pas être **arbitraire** : il est établi d'après des critères qui prêtent à discussion et qui doivent être soumis à l'examen de la raison. La discussion des jugements de valeur est un objet privilégié de la philosophie. Dans l'analyse d'une argumentation, il est important de repérer sur quels critères un auteur fonde ses jugements afin de les discuter. Dans l'élaboration d'une argumentation, il faut savoir reconnaître ses propres valeurs et en faire la critique.

LE JUGEMENT DE PRESCRIPTION

Enfin, le jugement de prescription émet un conseil, une recommandation, une obligation. Il incite à poser une action. L'affirmation « il faut profiter de son temps » énonce un jugement de ce type. Fondé sur un idéal ou une norme, il présuppose un jugement de valeur, dans le cas qui nous occupe « profiter de son temps est bien ». Il peut aussi découler de la constatation d'un fait ou d'une réalité, par exemple, le fait que la mort nous guette tous. La force d'un jugement de prescription dépend du bien-fondé des jugements de valeur ou de réalité qui lui sont préalables ; elle dépend aussi du caractère nécessaire du lien établi entre ces derniers et la prescription.

Présupposé
Dans ce contexte, jugement préalable dans une suite de jugements liés entre eux.

Il est à noter que, dans l'élaboration d'une pensée, certains jugements sont implicites et servent de **présupposés** ; l'auteur ne sent pas toujours le besoin de les énoncer parce qu'il les tient, à tort ou à raison, pour des évidences. Il est cependant indispensable de les repérer pour juger de leur valeur.

Les types de jugements

	JUGEMENT DE RÉALITÉ	JUGEMENT DE PRÉFÉRENCE	JUGEMENT DE VALEUR	JUGEMENT DE PRESCRIPTION
FONDEMENT	• Fait • Témoignage	• Goût	• Appréciation	• Jugements de fait ou de valeur
CRÉDIBILITÉ	• Vérification • Valeur du témoin	• Aucune	• Examen de la raison	• Bien-fondé des jugements de fait ou de valeur

AIDE-MÉMOIRE

1. *Trois axiomes s'imposent à l'élaboration d'un discours : le principe d'identité, le principe de non-contradiction et le principe du tiers exclu.*

2. *Seuls les énoncés déclaratifs susceptibles d'être vrais ou faux contiennent des jugements. Les énoncés impératifs ou interrogatifs n'en contiennent pas.*

3. *Nous classons les jugements selon quatre types : de réalité, de préférence (assimilé au jugement de réalité), de valeur et de prescription.*

Exercice 3.1

Analyse d'un texte

Après avoir lu la lettre de Sénèque, répondez aux questions qui s'y rapportent.

> ### Sénèque, *Lettres à Lucilius*, Lettre I[10]
>
> Oui, c'est cela, mon cher Lucilius, revendique la possession de toi-même. Ton temps, jusqu'à présent, on te le prenait, on te le dérobait, il t'échappait. Récupère-le, et prends-en soin. La vérité, crois-moi, la voici : notre temps, on nous en arrache une partie, on nous en détourne une autre, et le reste nous coule entre les doigts. Pourtant, il est encore plus blâmable de le perdre par 5 négligence. Et, à bien y regarder, l'essentiel de la vie s'écoule à mal faire, une bonne partie à ne rien faire, toute la vie à faire autre chose que ce qu'il faudrait faire.
>
> Tu peux me citer un homme qui accorde du prix au temps, qui reconnaisse la valeur d'une journée, qui comprenne qu'il meurt chaque jour ? Car notre 10 erreur, c'est de voir la mort devant nous. Pour l'essentiel, elle est déjà passée. La partie de notre vie qui est derrière nous appartient à la mort. Fais donc, mon cher Lucilius, ce que tu me dis dans ta lettre : saisis-toi de chaque heure. Ainsi, tu seras moins dépendant du lendemain puisque tu te seras emparé du jour présent. On remet la vie à plus tard. Pendant ce temps, elle s'en va. 15
>
> Tout se trouve, Lucilius, hors de notre portée. Seul le temps est à nous. Ce bien fuyant, glissant, c'est la seule chose dont la nature nous ait rendu possesseur :

---

10. Sénèque, *Apprendre à vivre, Lettres à Lucilius*, choisies et traduites par Alain Golomb, Paris, Arléa, 1990, p. 17-19.

le premier venu nous l'enlève. Et la folie des mortels est sans limite : les plus petits cadeaux, ceux qui ne valent presque rien et qu'on peut facilement rem-
20 placer, chacun en reconnaît la dette, alors que personne ne s'estime en rien redevable du temps qu'on lui accorde, c'est-à-dire de la seule chose qu'il ne peut pas nous rendre, fût-il le plus reconnaissant des hommes.

Tu vas peut-être me demander comment j'agis en la matière, moi qui te donne tous ces conseils. Je te l'avoue tout net : comme un homme dépensier mais or-
25 donné. Mon livre de comptes est bien tenu. Je ne peux te dire que je ne perde rien, mais je peux te dire ce que je perds et pourquoi et comment. Je peux te donner les raisons de ma pauvreté. Ma situation, c'est celle de la plupart des gens qui se trouvent ruinés et qui n'y sont pour rien : tout le monde les excuse, personne ne leur vient en aide.

30 Faisons le point. N'est pas pauvre, à mon sens, celui qui se contente de ce qui lui reste, aussi médiocre que ce soit. Mais, pour ce qui te concerne, je préfère que tu prennes soin de ce que tu possèdes et que tu t'y mettes pendant qu'il en est temps. En effet, comme le disaient nos aïeux : « Trop tard pour les écono-mies quand il ne reste qu'un fond de bouteille ! » Ce qui reste, c'est très peu, et
35 c'est le pire.

1. Repérez un jugement de réalité, un jugement de valeur et un jugement de préférence.
2. Formulez sous forme de jugements de prescription les énoncés impératifs.
3. Trouvez les valeurs qui fondent les jugements de valeur et de prescription.
4. Repérez, quand il y a lieu, les faits préalables aux jugements de prescription.

Sénèque

Sénèque naît à Cordoue en ~4. Il est le précepteur et l'ami de Néron, empereur romain. En 65, il doit se suicider sur l'ordre de ce dernier. Il adopte la philo-sophie stoïcienne, qui remonte au ~IIIe siècle. Selon cette école de pensée, l'individu est appelé à vivre avec sagesse, maîtrise de soi et acceptation de ce qui est inévitable. À la fin de sa vie, il écrit les *Lettres à Lucilius*.

LE RAISONNEMENT

L'argumentation est un raisonnement dont les arguments sont les prémisses et dont la thèse est la conclusion. L'argumentation peut se construire sous la forme d'une induction ; c'est ce qui se produit lorsque nous exposons des cas particuliers pour conduire à la reconnaissance d'une règle générale que nous posons comme thèse. Elle peut aussi prendre la forme d'une déduction si la thèse découle de l'application de règles générales dont on aura démontré le bien-fondé.

L'induction et la déduction

	INDUCTION	DÉDUCTION
THÈSE	Règle générale	Application particulière
ARGUMENT	Cas particulier	Règle générale

L'INDUCTION

L'induction est un raisonnement qui consiste à tirer de plusieurs cas, qui ont des caractéristiques communes, une règle générale s'appliquant à l'ensemble des cas du même type. Ainsi, d'un nombre plus ou moins important d'échantillons, la raison abstrait une caractéristique commune qu'elle suppose être, jusqu'à preuve du contraire, la règle applicable aux autres cas. Par exemple, d'un certain nombre de chats observés ayant des griffes rétractiles, nous induirons qu'il en est de même pour tous les chats. Ou encore, de nombreux exemples de violence et de guerre pourront conduire à accepter la thèse que l'homme est un loup pour l'homme.

L'induction est valable si l'on a fait appel à un nombre suffisant de cas particuliers. Toutefois, il faut tenir compte non seulement de l'ampleur de l'échantillonnage, mais aussi de sa représentativité[11]. Les cas choisis doivent en effet bien représenter l'ensemble. Ainsi, quel que soit le nombre de chats ayant les yeux verts, ces derniers ne sont pas représentatifs de l'ensemble puisqu'il existe des chats qui ont les yeux bleus. L'induction qui aurait pu nous conduire à la thèse que l'homme est un loup pour l'homme est remise en cause par les nombreux exemples de générosité et d'altruisme.

---

11. Les sondages sont apparentés à l'induction. Toutefois, ils font intervenir la loi des probabilités ; ils sont donc une prédiction.

LA DÉDUCTION

La déduction est un raisonnement par lequel on tire une conclusion d'une ou de plusieurs propositions. Elle conduit de la règle générale à son application. Elle permet de conclure au sujet d'un cas particulier ou d'une autre règle générale. Par exemple, s'il est vrai que « les chats ont des griffes rétractiles » et que « Garfield est un chat », il est indubitable que « Garfield possède des griffes rétractiles ». Ou encore, s'il est vrai que « les félins ont des griffes » et que « les chats sont des félins », nous conclurons que « les chats ont des griffes ». Évidemment, si l'une des propositions est fausse, nous ne pouvons affirmer la vérité de la conclusion.

La conclusion d'une induction peut servir de proposition de départ à une déduction. Ainsi, si l'on conclut que l'homme est un loup pour l'homme, on pourra admettre que les humains des générations futures auront tendance à user de violence.

LES INFÉRENCES SIMPLES

Inférence
Acte qui consiste à tirer une ou plusieurs propositions nouvelles jugées vraies ou fausses (appelées « conclusions ») d'une ou de plusieurs propositions données et connues comme vraies ou fausses.

Les **inférences** simples sont des raisonnements qui se font à partir d'une seule proposition. Il faut être prudent quant à la portée de ce que l'on affirme dans un discours, puisque d'une seule affirmation, on peut inférer des conclusions.

L'opposition des propositions

Il est possible de tirer des conclusions de la vérité ou de la fausseté d'une proposition universelle ou particulière. La proposition universelle accorde ou refuse d'accorder un attribut à tous les objets de la classe considérée. La proposition particulière accorde ou refuse d'accorder un attribut à un certain nombre d'objets appartenant à la classe considérée. Nous présentons à la page suivante un tableau illustrant les quatre sortes de propositions. L'intérêt de connaître la quantité et la qualité des propositions réside dans le jeu des inférences valides qu'elles autorisent.

Les quatre sortes de propositions

QUANTITÉ	QUALITÉ	
	AFFIRMATIVES	NÉGATIVES
UNIVERSELLES	Tout P est H *Lorsqu'une A est* A V	Aucun P n'est H E
PARTICULIÈRES	Quelques P sont H *Lorsque c. est* V	Quelques P ne sont pas H O (petit)

Il vous est proposé une illustration de l'opposition des propositions.

L'opposition des propositions

S'IL EST VRAI QUE	S'IL EST FAUX QUE
tous les philosophes sont heureux, • il est vrai que quelques-uns d'entre eux sont heureux ; • il est faux que quelques-uns ne soient pas heureux ; • il est faux qu'aucun ne soit heureux.	**tous les philosophes sont heureux,** • il est impossible de déterminer que quelques-uns d'entre eux sont heureux ; • il est vrai que quelques-uns ne sont pas heureux ; • il est impossible de déterminer qu'aucun n'est heureux.
quelques philosophes sont heureux, • il est impossible de déterminer que tous sont heureux ; • il est impossible de déterminer que quelques-uns ne sont pas heureux ; • il est cependant faux qu'aucun philosophe ne soit heureux.	**quelques philosophes sont heureux,** • il est faux que tous soient heureux ; • il est vrai que quelques-uns ne sont pas heureux ; • il est vrai qu'aucun philosophe n'est heureux.
aucun philosophe n'est heureux, • il est donc vrai que quelques-uns d'entre eux ne sont pas heureux ; • il est par contre faux que quelques-uns d'entre eux soient heureux ; • Il est aussi faux que tous soient heureux.	**aucun philosophe n'est heureux,** • il est impossible de déterminer que quelques-uns d'entre eux ne sont pas heureux ; • il est vrai que quelques-uns d'entre eux sont heureux ; • il est aussi impossible de déterminer que tous sont heureux.
quelques philosophes ne sont pas heureux, • il est impossible de déterminer qu'aucun n'est heureux ; • il est impossible de déterminer que quelques-uns sont heureux ; • il est cependant faux que tous soient heureux.	**quelques philosophes ne sont pas heureux,** • il est donc faux qu'aucun ne soit heureux ; • il est vrai que quelques-uns sont heureux ; • il est vrai que tous sont heureux.

La conversion des propositions

Il est aussi possible de créer une deuxième proposition en inversant (en **permutant**) le sujet et l'attribut (le **prédicat**) d'une première proposition. Il s'agit de la conversion des propositions. Elle obéit à un certain nombre de règles illustrées dans les diagrammes suivants. Connaissant que « P est H », que pouvons-nous affirmer de « H est P » ?

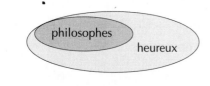

Une première inférence permet d'affirmer que si « tous les philosophes sont heureux », alors « quelques gens heureux sont philosophes ».

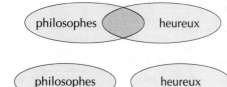

Nous pouvons aussi inférer que si « quelques philosophes sont heureux », alors « quelques gens heureux sont philosophes ».

Une autre inférence possible est que si « aucun philosophe n'est heureux », alors « aucune personne heureuse n'est philosophe ».

La proposition « quelques philosophes ne sont pas heureux » ne se convertit pas. L'inférence est indécidable, car il se peut que :

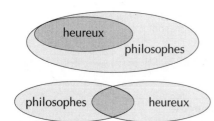

a) tous les gens heureux soient philosophes sans que tous les philosophes soient heureux ; ou

b) quelques gens heureux soient philosophes bien que certains philosophes ne soient pas heureux ; ou

c) aucune personne heureuse ne soit philosophe.

Les règles de l'inférence simple ne préjugent en rien de la valeur de vérité d'une prémisse ; elles indiquent quelles vérités peuvent découler logiquement d'une proposition. Leur application évite l'incohérence et la contradiction dans le développement d'une argumentation.

LES INFÉRENCES COMPLEXES

Les inférences complexes partent d'au moins deux propositions, les prémisses, pour en déduire une conclusion. Nous aborderons le syllogisme, les propositions hypothétiques et le raisonnement par analogie.

Le syllogisme

Le syllogisme comprend trois propositions. Par exemple, le syllogisme suivant[12] :

Prémisse majeure : « Les philosophes (moyen terme) sont heureux (grand terme). »

Prémisse mineure : « Les étudiants de ce cours (petit terme) sont philosophes (moyen terme). »

Conclusion : « Donc les étudiants de ce cours (petit terme) sont heureux (grand terme). »

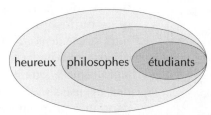

Les deux premières propositions sont les prémisses, nommées majeure et mineure. La troisième est la conclusion inférée à partir des deux autres. On trouve dans ces trois propositions seulement trois termes. La prémisse majeure contient le grand terme (heureux), soit celui qui a le plus d'extension, et le moyen terme (philosophes), lequel se retrouve aussi dans la prémisse mineure. Celle-ci contient en plus le petit terme (étudiants de ce cours), soit celui qui a le moins d'extension. La conclusion ne comprend que le grand terme (heureux) et le petit terme (étudiants de ce cours) ; le moyen terme (philosophes) disparaît dans l'opération ; cependant, son rôle est décisif, car il permet de tirer la conclusion en mettant en relation les deux autres termes.

Pour être valide, le syllogisme doit obéir aux règles suivantes :

1. *De deux prémisses négatives on ne peut rien conclure.* Ainsi, des prémisses « les philosophes ne sont pas heureux » et « les étudiants ne sont pas philosophes », on ne peut rien conclure.

2. *De deux prémisses affirmatives on ne peut tirer une conclusion négative.* Par exemple, que les philosophes soient heureux et que les étudiants soient philosophes ne permet pas de conclure que certains étudiants ne sont pas heureux.

3. *La conclusion suit toujours la plus faible des prémisses ; ainsi, si l'une des prémisses est négative, la conclusion est négative ; si l'une est particulière, la conclusion est particulière.* Des propositions « les philosophes sont heureux » et « quelques étudiants sont philosophes », on conclura que quelques étudiants sont heureux, mais on ne pourra conclure que tous le sont. D'autre

---

12. Quatre figures de syllogismes sont possibles selon que le moyen terme est sujet ou attribut dans les prémisses.

Sapere aude ! « Aie le courage de te servir de ton *propre* entendement ! »

Emmanuel Kant (1724-1804)

part, des affirmations « les philosophes ne sont pas heureux » et « quelques étudiants sont philosophes », on ne peut conclure que si des étudiants ne sont pas philosophes, ils sont heureux, mais uniquement que les quelques-uns qui sont philosophes ne sont pas heureux.

4. *Le moyen terme doit être universel au moins une fois.* Ainsi, si l'on affirme que « les étudiants sont philosophes » et que « quelques philosophes sont heureux », il est impossible de conclure que « quelques étudiants sont heureux ». En effet, le terme « philosophe » n'est universel dans aucune des prémisses. On notera que l'attribut dans une proposition affirmative est toujours particulier, alors qu'il est universel dans une proposition négative. Par exemple, si nous affirmons que « les philosophes sont heureux », nous soutenons qu'ils ne forment qu'une partie des gens heureux. Par contre, si nous nions qu'ils soient heureux, nous les excluons de la totalité des gens heureux.

5. *La quantité des termes ne doit pas être plus grande dans la conclusion que dans les prémisses.* Par conséquent, si l'on affirme que « quelques étudiants sont philosophes » et que « tous les philosophes sont heureux », on ne pourra conclure que « tous les étudiants sont heureux ».

Les propositions hypothétiques

On peut, à partir d'une prémisse hypothétique, faire un raisonnement qui conduit à une conclusion valide. Par exemple, la proposition hypothétique suivante : « Si je suis philosophe (P), alors je développe un esprit critique (Q). » Nous nommons la première partie de cette proposition, « si je suis philosophe », l'*antécédent*, que nous symbolisons par la lettre P. Nous nommons la seconde partie, « alors je développe un esprit critique », le *conséquent*, que nous symbolisons par la lettre Q. Nous pouvons donc construire les raisonnements qui sont présentés à la page suivante.

Première proposition : « Si je suis philosophe (P), alors je développe un esprit critique (Q). »

La seconde proposition pourrait affirmer « or je suis philosophe (P) ».

La conclusion serait « donc je développe un esprit critique (Q) ».

Ce modèle d'inférence se nomme *modus ponens*.

Si P, alors Q.
↓
Or P.
↓
Donc Q.

La seconde proposition aurait pu affirmer le conséquent « or je développe un esprit critique (Q) ».

En ce cas, nous aurions été dans l'impossibilité de conclure. En effet, nous pouvons développer un esprit critique et ne pas être philosophe.

Si P, alors Q.
↓
Or Q.
↓
Impossibilité de conclure.

La seconde proposition aurait aussi pu nier l'antécédent « or je ne suis pas philosophe (P) ». La conclusion serait là encore impossible, car nous pouvons développer ou non notre esprit critique.

Si P, alors Q.
↓
Or non P.
↓
Impossibilité de conclure.

On pourrait dans la seconde proposition nier le conséquent « or je ne développe pas un esprit critique (Q) ». On pourrait alors conclure que je ne suis pas philosophe.

Cette forme se nomme *modus tollens*.

Si P, alors Q.
↓
Or non Q.
↓
Donc non P.

On pourra également formuler un syllogisme hypothétique à partir de deux prémisses hypothétiques (la lettre R représente ici un deuxième conséquent) :

Première prémisse : « Si je souhaite comprendre (P), alors je réfléchis (Q). »

Seconde prémisse : « Si je réfléchis (Q), alors j'aime la philosophie (R). »

Conclusion : « Donc si je souhaite comprendre (P), j'aime la philosophie (R). »

Si P, alors Q.
↓
Si Q, alors R.
↓
Donc si P, alors R.

Le raisonnement par analogie

Analogie
Rapport de ressemblance établi par l'intelligence ou l'imagination entre deux ou plusieurs objets.

Le raisonnement par **analogie** est une manière de tirer une conclusion de plusieurs propositions. Il établit une comparaison entre deux relations ; il suppose que la relation entre deux réalités est transposable à celle qui existe entre deux autres réalités. Ainsi, connaissant la nature de la première relation, nous connaissons la nature de la seconde. Ce raisonnement nécessite la présence de quatre termes qui sont comparés deux par deux. Par exemple, dans l'extrait suivant de l'*Apologie de Socrate*, ce dernier répond par une analogie à Mélétos, qui prétend que tous les citoyens d'Athènes rendent les jeunes meilleurs alors que seul Socrate les corrompt.

Platon, *Apologie de Socrate*[13]

– SOCRATE : Mais que veux-tu dire ? Ceux-ci, les auditeurs, rendent-ils les jeunes gens meilleurs ou non ?

– MÉLÉTOS : Ces gens-là aussi, oui.

– SOCR. : Et les membres du Conseil, alors ?

5 – MÉL. : Les membres du Conseil aussi.

– SOCR. : Mais alors, Mélétos, est-ce que ce sont donc, je le crains, les citoyens réunis dans l'assemblée, les ecclésiastes, qui corrompent la jeunesse ? Ou bien eux aussi rendent-ils la jeunesse meilleure, tous ensemble ?

– MÉL. : Eux aussi.

10 – SOCR. : Ce sont donc, à ce qu'il semble, tous les Athéniens qui les rendent beaux et bons, sauf moi ? Et moi je suis le seul à les corrompre ? Est-ce cela que tu dis ?

– MÉL. : Oui, c'est exactement ce que je dis.

– SOCR. : C'est une grande malchance en tout cas dont me voilà déclaré cou-
15 pable. Mais réponds-moi ; penses-tu qu'il en aille ainsi pour les chevaux également ? Est-ce que pour toi ceux qui les rendent meilleurs, c'est l'ensemble des hommes, quand un seul homme les corrompt ? Ou bien tout au contraire de cela est-ce un seul homme qui est capable de les rendre meilleurs, ou encore un tout petit nombre, à savoir les spécialistes du cheval ? Alors que la plu-
20 part des gens, s'il leur arrive d'avoir affaire aux chevaux et de les prendre en main, les gâtent ? N'en est-il pas ainsi, Mélétos, aussi bien pour les chevaux que pour tous les autres animaux? Tout à fait, certainement, que toi et Anytos en soyez d'accord ou pas. Car ce serait un grand bonheur pour les jeunes gens si c'était vrai qu'un seul les corrompe et que tous les autres leur soient utiles.

Socrate affirme que l'éducation est aux jeunes ce que le dressage est aux chevaux. Il explique à Mélétos que le dressage des chevaux pris en main par un seul cavalier les rend meilleurs, alors que le dressage fait par plusieurs les gâte. Il conclut que l'éducation prise en main par la multitude, et non l'éducation menée par un seul, gâte les jeunes.

---

13. Platon, *Apologie de Socrate*, 25 *a-b*, trad. Renée et Bernard Piettre, in André Carrier *et al.*, *Apologie de Socrate, Introduction à la philosophie*, Anjou, CEC, 1996.

L'analogie est un procédé logique qui conduit à la vérité, à la condition que ce qui est affirmé de la relation entre les termes qui servent de base à la comparaison (dressage et chevaux) soit vrai et qu'il soit pertinent de comparer cette relation à celle qui existe entre les deux autres termes (éducation et jeunes gens). Ainsi, s'il est faux que le dressage par un seul rende les chevaux meilleurs alors que le dressage par plusieurs les corrompt, ou s'il n'est pas pertinent de comparer le dressage des chevaux à l'éducation des jeunes, le raisonnement ne conduit à aucune vérité.

AIDE-MÉMOIRE

1. *La déduction est un raisonnement qui applique une règle générale à un cas ou à un ensemble de cas.*
2. *Les propositions initiales, sur lesquelles s'appuie le raisonnement, sont les « prémisses » ; le résultat du raisonnement est la « conclusion ».*
3. *Les inférences simples sont des raisonnements faits à partir d'une seule proposition.*
4. *Les inférences complexes partent d'au moins deux propositions, les prémisses, pour en déduire une conclusion.*
5. *Le syllogisme, les propositions hypothétiques, et le raisonnement par analogie sont des inférences complexes.*

Exercice 3.2

Analyse d'un texte

Après avoir lu l'extrait suivant de *Antiphon le sophiste*, répondez aux questions qui s'y rapportent.

Xénophon, *Antiphon le sophiste*[14]

1. Il est juste de ne pas non plus passer sous silence la discussion qu'il a eue avec le sophiste Antiphon. C'est ainsi qu'une fois, Antiphon, dans l'intention de lui débaucher ses disciples, alla trouver Socrate pendant une de ses leçons et lui adressa la parole en ces termes :

2. « Socrate, je croyais que ceux qui pratiquaient la philosophie devaient tous devenir heureux. Mais il me semble que toi, tu as tiré de la philosophie le résultat opposé. Tu mènes une existence telle que même un esclave, avec ce régime, ne resterait pas soumis à son maître. Tu manges et tu bois ce qu'il y a de plus détestable, tu t'enveloppes d'un manteau misérable, le même, qui plus est, été comme hiver, et tu ne portes jamais ni chaussures ni tunique. 10

---

14. Jean-Paul Dumont, *Les Présocratiques*, « Antiphon le sophiste », A III, extrait de Xénophon, Paris, Gallimard, coll. La Pléiade, 1988, p. 1092-1094.

3. En outre, tu ne te fais pas payer, et pourtant, il est agréable de gagner de l'argent, car en avoir rend l'existence plus libre et plus douce. Dès lors, si, comme dans tous les métiers, les maîtres s'offrent en imitation à leurs disciples, si tu fais de même avec les tiens, reconnais que tu n'es maître que de misère. »

15 Alors Socrate lui répondit :

4. « Il me semble, Antiphon, que tu te figures ma vie si triste que, j'en suis sûr, tu préférerais mourir que vivre comme moi. Mais voyons de plus près ce que tu trouves de si pénible dans l'existence que je mène.

5. Peut-être ceci : ceux qui touchent de l'argent doivent s'acquitter jusqu'au bout
20 de la tâche pour laquelle ils sont payés, moi en revanche, je ne touche rien et rien ne m'oblige à dialoguer avec qui je ne veux pas. Ou alors, c'est mon régime que tu méprises : ma nourriture serait-elle moins saine que la tienne et me donnerait-elle moins de forces ? […]

10. « Tu me sembles croire, Antiphon, que le bonheur, c'est la noblesse et le luxe.
25 Moi, je crois que n'avoir pas de besoins, c'est un lot divin. Aussi, ce qui nous rapproche le plus de la vie divine, c'est d'avoir le moins de besoins possible ; et la vie divine étant ce qu'il y a de meilleur, ce qui se rapproche le plus du divin est ce qui se rapproche le plus du meilleur. »

11. Une autre fois, Antiphon, au cours d'une discussion avec Socrate, lui dit :
30 « Socrate, je crois que tu es juste, mais tu n'es aucunement un sage, et il me semble que tu le sais très bien toi-même. Une chose est sûre, c'est que tu ne demandes d'argent à personne pour tes leçons ; et pourtant, je crois que tu ne donnerais jamais gratuitement, ou au-dessous de leur valeur, ton manteau, ta maison ou quoi que ce soit d'autre t'appartenant et représentant de l'argent.

35 12. Aussi est-il clair que si tu estimais que ton enseignement vaut quelque chose, tu demanderais des honoraires qui ne seraient pas inférieurs au prix estimé. Donc, je veux bien admettre que tu es juste, puisque l'appât du gain ne t'incite pas à tromper, mais tu n'es pas un sage, puisque ce que tu sais n'a aucune valeur. »

40 13. À ces mots, Socrate répliqua : « Antiphon, dans notre école, nous considérons que le commerce des charmes et celui de la sagesse peuvent être ou nobles ou ignobles. Si quelqu'un vend ses charmes pour de l'argent au premier venu, on appelle cela de la prostitution, mais si quelqu'un prend pour ami un homme dont on sait qu'il aime le beau et le bien, on le considère comme plein
45 de bon sens. Il en va de même pour la sagesse : ceux qui la vendent pour de l'argent au premier venu, on les appelle sophistes, comme on parle de prostituées. Au contraire, celui qui enseigne tout ce qu'il connaît de bien à un élève dont il connaît les bonnes qualités et en fait son ami, cet homme, nous estimons qu'il a un comportement digne d'un citoyen bon et honnête.

50 14. Pour ma part, Antiphon, de même qu'on peut aimer les beaux chevaux, les chiens, les oiseaux, moi, ce que j'aime le plus, ce sont les amis honnêtes ; je leur enseigne tout ce que je connais de bien et je les mets en rapport avec d'autres auprès desquels je pense qu'ils pourront tirer quelque avantage pour progresser en vertu. Et ces trésors que les anciens sages nous ont laissés dans
55 les livres qu'ils ont rédigés, en commun avec mes amis nous les étudions et les lisons. Quand nous voyons quelque pensée valable, nous la recueillons et nous considérons que c'est un grand gain si nous parvenons à devenir amis les uns

les autres. » Moi, lorsque j'entendais ces paroles, je voyais en lui un bienheureux qui conduisait ses auditeurs vers le bon et l'honnête.

15. Une autre fois encore, comme Antiphon lui demandait comment il pouvait penser former des hommes politiques, alors que lui-même ne prenait pas part aux affaires publiques, que pourtant il connaissait bien, Socrate répondit : « Comment dois-je faire, Antiphon, pour m'engager le plus dans les affaires de l'État ? Y participer à titre strictement personnel ou m'occuper de rendre le plus grand nombre possible de gens aptes à y participer ? » (*Mémorables*, I, VI, 1-15.)

1. Quels sont les arguments qu'Antiphon présente à Socrate pour lui démontrer que son existence est peu enviable ?
2. La conclusion à laquelle arrive Antiphon au passage 3 est que Socrate est maître de misère. Reconstituez le raisonnement qui conduit à cette conclusion.
3. Quelle autre conclusion que celle d'Antiphon vous suggère la lecture des passages 4 à 10 ?
4. Reconstituez le raisonnement énoncé au passage 10 :
   a) trouvez la conclusion à laquelle Socrate veut conduire Antiphon ;
   b) établissez les prémisses.
5. Formulez la conclusion des propos d'Antiphon aux passages 11 et 12.
6. Reconstituez le raisonnement par analogie formulé au passage 13.

Xénophon

Xénophon (v. ~430 – ~355) est un historien, essayiste et chef militaire, qui a été l'élève de Socrate. Noble et riche, il est hostile à la démocratie. Certains de ses écrits visent à préserver de l'oubli les entretiens de Socrate et les faits de sa vie.

Antiphon

Antiphon est un philosophe athénien qui vécut de ~480 à ~411. Il appartient à ce groupe d'intellectuels appelés « sophistes ». Ces derniers, dotés habituellement d'un grand savoir, enseignent aux fils de familles riches tant leurs connaissances que l'art de l'éloquence. Antiphon est surnommé le « Cuisinier de discours ».

CHAPITRE 4
L'ARGUMENTATION II
LE DISCOURS ARGUMENTATIF

Les jugements de contradicteurs,
donc, ne me choquent pas ni ne me troublent ;
ils m'éveillent seulement et m'exercent.

Michel de Montaigne, *Essais.*

Savoir-faire à développer

Analyse d'un texte

Thèse

1. Repérer la thèse de l'auteur.
2. Expliquer la thèse.

Arguments

1. Repérer les arguments.
2. Faire le schéma de l'argumentation.
3. Juger de la pertinence, de la cohérence et de la suffisance de l'argumentation.
4. Repérer les valeurs et les théories appuyant l'argumentation.
5. Repérer les définitions.
6. Dégager les conséquences de l'argumentation.
7. Formuler un jugement sur le bien-fondé de la thèse.

Rédaction d'un texte

Thèse

1. Formuler une thèse.
2. Expliquer la thèse.

Arguments

1. Formuler des arguments rationnels, pertinents, cohérents, suffisants.
2. Ordonner l'argumentation.

Objections

1. Formuler des objections à l'appui d'une thèse différente :
2. Formuler des objections attaquant
   a) le bien-fondé des arguments ;
   b) les valeurs et les théories avancées ;
   c) les définitions suggérées ;
   d) les conséquences prévisibles de l'argumentation.

Réfutation

1. Rejeter les objections.
2. Reconduire la thèse.

L'argumentation est un outil de la pensée critique. Elle exige de prendre parti pour une thèse et de la défendre. Elle nécessite l'examen de questions afin d'en peser le pour et le contre. Conduite de bonne foi, l'argumentation est une recherche de la vérité par la réflexion et la confrontation des idées.

Notre étude du discours argumentatif se divise en trois parties : la première s'intéresse au repérage ou au choix de la thèse, la deuxième à la critique ou à l'élaboration des arguments, la dernière à la formulation des objections et à leur réfutation.

LA THÈSE

Nous savons déjà que tout discours argumentatif répond à une ou à plusieurs préoccupations. Socrate et Platon nous ont appris que ces dernières, souvent simples et quotidiennes, pouvaient mettre en cause un questionnement et des concepts philosophiques.

Lorsqu'il s'agit d'élaborer un discours argumentatif, on doit exposer le sujet discuté dès l'introduction, et mettre en lumière les concepts qu'il fait intervenir et les questions qu'il soulève, ainsi que leur importance. Ensuite, on doit chercher des pistes de réflexion et enfin annoncer les choix que l'on entend faire en présentant la thèse qui sera défendue. Dans l'analyse d'une argumentation, il faut repérer la thèse, trouver à quelle question elle répond. Il est utile de situer alors le débat dans un champ de la philosophie.

Ce prochain amour...
*Dont nous croirons
tous deux porter les
chaînes
Dont nous croirons
que l'autre a le
velours.*
Jacques Brel
(Les comédiens
Marthe Nadeau et
J.-Léo Gagnon dans
le film *Les Dernières
Fiançailles*.)

La thèse est un jugement, c'est-à-dire une affirmation dont on peut dire qu'elle est vraie ou fausse ; c'est une réponse à une question, à un parti pris. Par exemple, sont des thèses les affirmations suivantes : « l'éducation est nécessaire au bonheur » ou « l'ignorance est le pire des maux ». Ne le sont pas les énoncés qui suivent : « Qu'est-ce que l'éducation ? » ou encore « l'éducation et son influence sur le bonheur ».

Convaincre du bien-fondé de la thèse est l'objet ou la finalité du discours argumentatif. Celui-ci contient une seule thèse principale. Il est indispensable de bien repérer cette dernière tant dans l'analyse que dans l'élaboration d'un discours. Dans le premier cas, la thèse permet d'en comprendre le sens ou la portée ; il s'agit alors de répondre à la question : « De quoi l'auteur veut-il me convaincre ? » Dans le second cas, elle oriente l'articulation du discours et on se demandera : « De quoi dois-je convaincre ? »

CHOISIR LA THÈSE

Bien qu'il s'agisse de l'une des premières étapes de l'élaboration d'un discours argumentatif, le choix de la thèse suppose une connaissance du sujet et, donc, la consultation d'une documentation suffisamment étoffée et un aperçu des arguments qui pourront être développés. Une recherche sérieuse en bibliothèque est un préalable. Suivra une réflexion au cours de laquelle on aura situé le problème dans sa dimension philosophique et reconnu des concepts utiles à l'élaboration de la thèse.

Pour établir une thèse, il faut affirmer ou nier certains liens entre des concepts. Plusieurs relations sont possibles. On peut reconnaître l'identité de deux concepts ; ainsi, le jugement de Socrate à l'effet que « l'homme est son âme[1] » affirme l'identité des concepts d'*homme* et d'*âme*. On peut aussi reconnaître leur différence ; la conclusion des propos de Socrate et de Lachès, selon laquelle le courage[2] est différent de la témérité, fait ressortir en quoi ce second concept limite le premier et ne saurait l'inclure. On pourra également juger que les concepts sont contradictoires ou encore qu'ils sont complémentaires ; ainsi, les Grecs s'entendaient pour affirmer que la passion est le contraire de la vertu, et jugeaient complémentaires la connaissance du bien et la maîtrise de soi.

D'autres formes d'associations sont possibles telles l'antériorité ou la postériorité d'un concept par rapport à un autre. Par exemple, en prétendant que la connaissance du bien est la condition de l'action droite, Socrate affirme que la connaissance est antérieure à (vient avant) l'action et, inversement, que l'action est postérieure à (vient après) la connaissance. L'**analogie** est une autre forme d'association entre les concepts : ainsi, Socrate soutient que l'éducation des jeunes est analogue au dressage des chevaux. On pourra également établir des relations d'inclusion, d'exclusion ou de dépendance entre les concepts.

Analogie
Rapport de ressemblance établi par l'intelligence ou l'imagination entre deux ou plusieurs objets.

EXPLIQUER LA THÈSE

Une fois la thèse établie ou repérée, il est nécessaire de l'expliquer et, pour ce faire, de porter une attention particulière aux mots qui l'énoncent ainsi que de saisir les nuances qu'ils recèlent. Par exemple, la thèse « on doit accepter de mourir pour ses idées » n'a pas le même sens que celle qui soutient qu' « on peut mourir pour ses idées ». Dans le cas de la thèse « jamais le corps humain ne doit faire l'objet de rapports marchands », le terme « jamais » revêt une importance particulière, car il suppose qu'aucune exception n'est possible. Il peut aussi arriver qu'il soit nécessaire de définir des mots qui posent des difficultés ou dont le sens est ambigu.

EXAMINER LES CONCEPTS D'ORDRE PHILOSOPHIQUE

Des concepts de portée philosophique sont mis en jeu par la formulation de la thèse. Ils ne sont pas nécessairement nommés dans l'énoncé, mais ils peuvent être présupposés ou interpellés. Il est indispensable de les relever et d'en discuter la définition.

---

1. Voir l'*Alcibiade*.
2. Voir le *Lachès*.

LES TYPES DE JUGEMENTS

Une thèse philosophique peut être un jugement de réalité[3], de valeur ou de prescription. Il faut établir à quel type elle appartient, car cela a une incidence sur le développement de l'argumentation. On se souviendra en effet que ces types de jugements ne requièrent pas le même mode de preuve.

AIDE-MÉMOIRE

Les étapes à suivre dans l'analyse d'un texte
1. Repérer la thèse principale de l'auteur.
2. Préciser à quelle(s) question(s) elle répond.
3. Situer à quel(s) champ(s) de la philosophie elle se rattache.
4. Comprendre le sens et saisir la portée des termes qui y sont utilisés.
5. Saisir le sens de l'énoncé de la thèse.
6. Trouver les concepts philosophiques.
7. Repérer des indices de la définition de ces concepts, formuler cette définition et la discuter.
8. Déterminer si la thèse est un jugement de réalité, un jugement de valeur ou un jugement de prescription.

Les étapes à suivre dans la rédaction d'un texte
Préparation
1. Expliciter les termes du sujet proposé afin de le comprendre.
2. Dégager les questions d'ordre philosophique et les discuter.
3. Reconnaître les champs de la philosophie dans lesquels elles se situent.
4. Déterminer les concepts philosophiques utiles à la discussion du sujet.
5. Explorer des pistes de réflexion.
6. Choisir la thèse.
7. Expliquer l'énoncé de la thèse : en définir les termes et en expliquer le sens.
8. Déterminer le type de jugement.
9. Reconnaître les problèmes liés à la définition des concepts d'ordre philosophique et discuter une définition.

Rédaction
Rédiger une introduction :
1. Exposer le sujet.
2. Dégager la problématique
   a) en soulevant les questions ;
   b) en soulignant les enjeux du sujet ;
   c) en suggérant des pistes de réponse.
3. Formuler la thèse.
4. En souligner les enjeux.
5. Annoncer les parties du développement.

---

3. Par exemple, « la vérité existe », « l'humain a une âme ».

Exercice 4.1

Analyse d'un texte

Après avoir lu l'extrait suivant des *Lettres à Lucilius*, répondez aux questions qui s'y rapportent.

Sénèque, *Lettres à Lucilius*, extrait de la Lettre LXI[4]

Veille à ne jamais rien faire contre ton gré. Tout ce qui est une contrainte pour celui qui regimbe n'est pas une contrainte pour celui qui accepte. Je m'explique : celui qui se soumet de bon cœur aux ordres échappe à la part la plus douloureuse de la servitude : faire ce qu'on ne veut pas. On est à plaindre non pas de recevoir tel ou tel ordre mais de l'exécuter à son corps défendant. Préparons donc 5
notre âme à vouloir tout ce que les circonstances exigeront d'elle et, avant tout, à envisager sans tristesse notre propre fin. Nous devons nous préparer à la mort avant de nous préparer à la vie. La vie est prodigue et nous toujours insatiables. Nous avons et nous aurons toujours l'impression qu'il nous manque quelque chose. Avoir assez vécu, nous ne le devons ni aux jours ni aux années mais à 10
notre âme. J'ai vécu, mon cher Lucilius, suffisamment. J'attends la mort, rassasié.

---

1. Repérez la thèse de l'auteur.
2. Trouvez à quelle(s) question(s) elle répond.
3. Situez à quel(s) champ(s) de la philosophie elle se rattache.
4. Soulignez les termes importants et cherchez leur définition, s'il y a lieu.
5. Reformulez la thèse avec vos propres mots.
6. Repérez les concepts philosophiques.
7. Repérez dans le texte des indices de leur définition, et formulez cette définition.
8. Déterminez si la thèse est un jugement de réalité, un jugement de valeur ou un jugement de prescription.

LES ARGUMENTS

Le développement d'une argumentation suppose une certaine stratégie en vue d'atteindre la fin, qui est de convaincre. Les arguments se fondent sur des faits, des connaissances ou des valeurs. Pour être efficaces, ils seront rationnels, ordonnés, pertinents, cohérents et suffisants. Ils devront aussi être bien développés afin qu'il soit facile d'en comprendre le sens et d'établir leur lien avec la thèse.

---

4. Sénèque, *Apprendre à vivre, Lettres à Lucilius*, choisies et traduites par Alain Golomb, Paris, Arléa, 1990, p. 64.

DES ARGUMENTS FONDÉS SUR DES FAITS, DES CONNAISSANCES OU DES VALEURS

Les faits servant d'arguments auront été directement observés ou seront relatés. Dans ce dernier cas, on s'enquerra de la fiabilité des sources. Par exemple, en ce qui concerne les statistiques, on s'assurera de la valeur de la méthode utilisée pour les établir ; on sera en outre prudent quant à leur interprétation. L'argument fondé sur un fait sera développé en exposant ce dernier, en démontrant les raisons de croire à son existence et en justifiant qu'il s'interprète comme on le suggère ; enfin, on expliquera en quoi il confirme la validité de la thèse.

Les arguments s'appuient fréquemment sur des connaissances, qui seront distinguées des faux savoirs, des pseudo-sciences ou de l'opinion commune. Ce type d'argument sera développé en exposant la connaissance, en citant les sources. Il pourra également être utile de rassurer l'interlocuteur quant à la fiabilité de ces dernières. Il faudra aussi mettre la connaissance en relation avec la thèse.

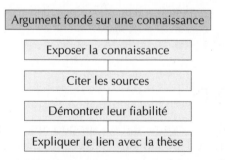

Arbitraire
Qui ne relève d'aucune règle, d'aucun critère.

Consensus
Consentement, accord entre les personnes.

Les arguments faisant appel à des valeurs sont aussi appropriés au soutien d'une thèse. Souvenons-nous que le choix de ces valeurs, sans être objectif, n'est pas non plus **arbitraire** : il se discute rationnellement. Par contre, l'adhésion à certaines valeurs telles que la justice, la beauté ou le bien fait l'objet de **consensus**. Les arguments fondés sur les valeurs sont développés en justifiant le choix de celles-ci et en établissant leur lien avec la thèse.

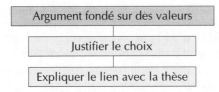

DES ARGUMENTS FONDÉS SUR LA RAISON

Les arguments doivent faire appel à la raison et non à l'émotion. De plus, l'argumentation ne doit pas s'appuyer sur les préjugés, qui sont des idées reçues sans l'examen de la raison. Certes, la référence aux préjugés et aux idées généralement admises, comme le recours aux émotions, facilite la persuasion. Cependant, en philosophie, l'argumentation vise à convaincre rationnellement et se situe d'emblée au niveau des idées.

Exercice 4.2

Analyse d'un texte

Après avoir lu l'extrait suivant du *Criton*, répondez aux questions qui s'y rapportent.

Platon, *Criton*[5]

Nous sommes à l'avant-veille de l'exécution de Socrate, et Criton cherche à le persuader de s'enfuir de prison avec l'aide de ses amis.

La proposition de Criton : s'évader

CRITON : Mais maintenant, merveilleux Socrate, laisse-toi persuader et sauvetoi ! Si tu meurs, ce ne sera pas un malheur ordinaire pour moi, moi qui serai privé d'un ami comme toi, un ami comme jamais je ne pourrai en retrouver. Mais, pense aussi qu'à tous ceux nombreux qui nous connaissent mal, toi et moi, il semblera que j'aurais dû être en mesure de te sauver si j'avais consenti à payer ce qu'il fallait et que je ne m'en sois pas soucié. Y aurait-il réputation plus honteuse que de paraître plus attaché à l'argent qu'à ses amis ? La plupart des gens ne croiront jamais que c'est toi, toi-même, qui as refusé de t'en aller d'ici, alors que rien ne nous tenait plus à cœur.   5

---

5. Platon, *Criton*, 44 *b* – 47 *a*, in André Carrier *et al.*, *Criton de Platon*, trad. Georges Leroux, Anjou, CEC, 1996, p. 48-53.

10 – SOCRATE : Mais faut-il vraiment, mon excellent Criton, que nous nous sou-ciions tant de l'opinion du grand nombre ? Les personnes qui ont le plus de valeur à nos yeux, celles dont le jugement compte pour nous, penseront plutôt que les événements se sont passés comme ils se sont passés réellement.

– CRIT. : Mais tu vois pourtant bien, Socrate, qu'il est nécessaire de se soucier de 15 l'opinion du grand nombre. La situation actuelle montre assez clairement que ce grand nombre est capable d'accomplir aussi bien les petits maux que les plus grands, chaque fois qu'on lui présente calomnie sur calomnie !

– SOCR. : L'idéal, cher Criton, serait que ce grand nombre soit capable de réa-liser les plus grands maux, de telle façon qu'il soit également en mesure de réa- 20 liser les biens les plus grands ; ce serait vraiment très bien ! En fait, il ne semble capable ni de l'un ni de l'autre : impuissant à rendre un homme ni sensé ni in-sensé, il fait les choses comme le hasard les présente.

– CRIT. : Bon, mettons donc que ce soit le cas. Mais dis-moi une chose, Socrate, qu'est-ce qui t'arrête ? Est-ce le souci de ce qui pourrait m'arriver, à moi et aux 25 amis, si tu décidais de sortir d'ici ? As-tu peur que les sycophantes nous causent des ennuis en nous accusant de t'avoir fait échapper et que nous risquions de perdre notre fortune, en tout cas pas mal d'argent, et peut-être même que nous nous exposions à je ne sais quoi d'autre ? Si c'est là ce que tu crains, débarrasse-toi vite de cette peur. D'une certaine manière, te sauver est notre devoir, nous 30 devons courir ce risque et, s'il le fallait, un risque plus grand encore. Laisse-toi convaincre et fais ce que je te dis.

– SOCR. : C'est cela même que je crains, Criton, et plusieurs autres choses encore.

– CRIT. : Cesse donc d'avoir peur ! Pour une somme d'argent de rien du tout, ceux qui veulent te sauver te feront sortir d'ici. Et puis, ne vois-tu pas qu'on peut 35 soudoyer ces sycophantes à bon marché ? En fait, il n'y aurait pas grand argent à leur donner. Ce qui m'appartient est à toi, et je pense que cela suffira. De plus, si par amitié pour moi tu préférais ne pas engager mon argent, il se trouve ici des étrangers qui seraient disposés à contribuer. L'un d'eux, Simmias de Thèbes, a justement apporté la somme nécessaire ; Cébès aussi est prêt à aider, et plusieurs 40 autres encore. Donc, comme je te le dis, laisse de côté cette peur qui t'empêche de te sauver, et puis, comme tu le laissais entendre au tribunal, ne t'inquiète pas du sort prétendument difficile qui t'attendrait si tu devais quitter le pays et ne pas trouver de quoi vivre. Partout où tu iras, à l'étranger comme ici, tu auras des amis. Veux-tu te rendre en Thessalie ? Je connais là des hôtes qui sont prêts à 45 faire beaucoup de choses pour toi ; ils garantiront ta sécurité et personne en Thessalie ne pourra te faire de mal.

Il y a encore autre chose, Socrate. Je trouve que tu commets un acte qui n'est pas acceptable en te trahissant toi-même, alors que tu as la liberté de te sauver. Tu travailles à provoquer contre toi-même ce que tes ennemis, ceux qui veulent te 50 perdre, se sont toujours efforcés de faire. Je veux également ajouter qu'il me semble que tu trahis aussi tes fils. Alors que tu pourrais les élever, achever leur éducation, tu les abandonneras derrière toi. Tout ce qui dans leur vie devrait être ta part deviendra le résultat du hasard. Il leur arrivera, comme c'est souvent le cas, ce qui arrive aux orphelins dans leur abandon. Ou bien il ne faut pas avoir 55 d'enfants, ou bien il faut peiner avec eux pour les élever et pour faire leur éduca-tion. Toi, tu donnes le sentiment de choisir la voie la plus facile. Ne faut-il pas décider cela même qu'un homme juste et courageux choisirait de faire, surtout si, dans toute sa vie, on affirme se soucier d'abord de la vertu ?

Quant à moi, j'en ai honte pour toi et pour nous, tes amis, parce qu'on ne pourra éviter de penser que toute cette affaire relève de notre manque de courage : l'in- 60 troduction de l'accusation devant le tribunal, la comparution alors qu'il était possible de ne pas comparaître, le déroulement du procès comme il a été conduit et, enfin, ce dernier épisode, dénouement vraiment ridicule de l'affaire, qui fera croire que lâchement, méchamment, nous nous sommes dérobés, sans que personne, ni toi ni nous, n'ait rien fait pour te sauver, alors que c'était possible si 65 seulement nous avions été capables de faire la moindre chose utile ! Penses-y, Socrate, pareil comportement sera vraiment une honte, une faute pour toi comme pour nous. Réfléchis bien, ou plutôt non, ce n'est plus le moment de réfléchir, il faut avoir réfléchi, il n'y a qu'une pensée qui vaille. Il faut avoir tout réglé la nuit prochaine. Si nous attendons encore, ce sera impossible, il n'y aura 70 plus rien à faire. En tout cas, Socrate, crois-moi, fais ce que je te dis.

La réponse de Socrate

SOCRATE : Mon cher Criton, les pressions que tu exerces sur moi seraient acceptables si elles s'accordaient avec une certaine droiture. Mais autrement, plus elles sont fortes, plus elles sont pénibles. Il faut donc que nous examinions ensemble s'il convient de se résoudre à ces actions ou non. Pas seulement 75 aujourd'hui mais depuis toujours, je suis de nature à ne me laisser persuader par rien d'autre que par la raison qui m'apparaît la mieux argumentée. Les raisons que j'ai formulées jusqu'à maintenant, je ne peux pas tout d'un coup les rejeter, sous prétexte qu'il s'est produit quelque chose de nouveau. De fait, ces raisons me semblent encore en gros les mêmes, et j'attache de l'importance et de la 80 valeur aujourd'hui aux mêmes raisons qu'avant. Si nous ne trouvons à présent rien de mieux à dire, sache bien que je ne pourrai pas être d'accord avec toi, et cela même si dans la situation actuelle la puissance du grand nombre voulait nous terrifier comme des enfants en nous menaçant d'emprisonnement, de mort ou de confiscation de nos biens. 85

Comment discuter ces questions de notre mieux ? Si nous reprenions d'abord cet argument que tu formulais relativement aux opinions des autres ? Était-il juste de dire, chaque fois que nous en avons discuté, que notre esprit doit suivre certaines de ces opinions, d'autres non ? Ou bien cette position qui était juste alors que je n'étais pas sur le point de mourir, n'est-il pas clair qu'elle ne 90 devient maintenant qu'une parole sans conséquence, un jeu d'enfant, une niaiserie ? Je voudrais vraiment, Criton, que nous examinions ensemble si cette position nous paraîtra différente compte tenu de ce qui m'arrive, ou si elle demeurera la même : l'abandonnerons-nous ou bien en ferons-nous notre ferme conviction ? Voici à peu près, selon mon souvenir, ce que répétaient tout le 95 temps ceux que nous estimons, et ce que moi-même je viens de soutenir : parmi les opinions formulées par ceux qui en énoncent, il y en a dont il faut tenir compte, d'autres pas du tout. Par les dieux, Criton, ne te semble-t-il pas juste de dire ça ? Comme tu n'es pas, toi, destiné à mourir demain — autant en tout cas qu'un homme puisse en juger —, il est peu probable qu'un danger im- 100 minent t'égare l'esprit. Examine la question : n'a-t-on pas raison, selon toi, de dire que les opinions de tout le monde ne sont pas dignes de considération,

> que certaines méritent considération, d'autres pas? Pas les opinions de tous,
> donc, mais seulement les opinions de certains, pas celles des autres. Qu'en dis-
> 105 tu? N'est-ce pas là la position juste?

1. Faites l'énumération des arguments de Criton pour persuader Socrate de fuir.
2. Trouvez dans chaque cas à quel sentiment ou à quelle opinion reçue Criton fait appel.
3. Formulez avec vos mots la réponse de Socrate.

DES ARGUMENTS ORDONNÉS

L'argumentation se construit, et les éléments de la construction se soutiennent
et se renforcent réciproquement.

La base

À la base d'une argumentation, il y a des faits admis, des choix de valeurs et
des convictions théoriques. Résultats du cheminement intellectuel et moral
d'un groupe, ils constituent souvent des préalables non discutés. L'argumentateur peut en effet s'appuyer sur des faits, des savoirs et des valeurs qui font
consensus. Mais, en l'absence de consensus, il doit remettre en question les
valeurs de référence, interroger le bien-fondé des convictions, ébranler les évidences avant de discuter certains cas concrets.

Les arguments principaux et les arguments secondaires

Pour construire un texte argumentatif, il faut ordonner les arguments. Chaque
argument doit être en rapport avec la thèse. Ce rapport sera direct, ou indirect
s'il s'agit d'arguments secondaires. Quatre schémas permettront de visualiser les
rapports possibles entre les arguments et la thèse.

L'argument peut être en relation directe avec la thèse, sans rapport avec
un autre argument; il est indépendant. Par exemple, si la thèse est « la raison
est un malheur pour l'humanité » (T) et que l'argument est « la conscience de
notre sort de mortel est la principale cause de nos angoisses » (A), on schéma-
tisera la relation de l'argument à la thèse comme suit:

Des arguments peuvent être complémentaires tout en étant indépen-
dants; le second ajoute au premier, mais chacun peut se suffire. Par exemple, la

thèse étant toujours « la raison est un malheur pour l'humanité » (T), imaginons comme arguments « la raison nous donne l'illusion de connaître alors que
nous ignorons tout » (A1), et « la raison limite les élans du cœur » (A2). Ces
deux arguments ne sont pas en relation, mais ils ont chacun un lien avec la
thèse. Si l'un ne convainc pas, cela n'entame pas la valeur de l'autre. Le schéma
est reproduit ci-dessous.

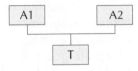

Les arguments peuvent aussi être dépendants en plus d'être en relation
avec la thèse. Ils prouvent la valeur de la thèse, à la condition d'être tous deux
exacts. Si la thèse est toujours « la raison est un malheur pour l'humanité » (T)
et que les arguments sont « la raison est destructrice de la nature » (A1), et « la
sauvegarde de la nature est indispensable à l'existence des humains » (A2), ces
deux arguments doivent être vrais pour justifier la thèse. Peu importe que la
raison soit destructrice de la nature : si la survie de l'humain n'en dépend pas,
cela n'en fait pas un malheur pour l'humanité. De la même façon, bien que la
sauvegarde de la nature soit indispensable à la survie de l'humain, la raison
n'est pas un malheur pour l'humanité si elle n'est pas destructrice. Le schéma
de ces liens est présenté ci-dessous.

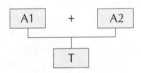

Il arrive souvent qu'il soit nécessaire d'argumenter afin de justifier le
bien-fondé d'un argument avant de s'en servir pour **valider** la thèse. Prenons
comme exemple le propos suivant : « une société doit assurer une égale satisfaction des besoins de tous ses membres lorsqu'elle en a la capacité » (T). En
effet, « il n'y a pas chez l'humain d'instinct qui le force à vivre dans une société
et qui y détermine un ordre hiérarchique » (A1a) ; « la société a donc pour
fondement l'association de personnes libres qui aliènent leur liberté en
échange des avantages de la collectivité » (A1) ; « tous les humains naissent
égaux » (A2a) ; et « ils ont donc un droit égal à une satisfaction de leurs
besoins » (A2). Les arguments 1 et 2 sont ceux qui appuient la thèse. Cependant, chacun a besoin d'être soutenu par un argument : l'argument 1 l'est par
l'argument 1a, et l'argument 2 par l'argument 2a. Le schéma de l'argumentation est reproduit à la page suivante.

Valider
Rendre valable,
recevable,
acceptable.

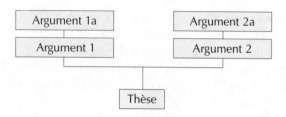

La réorganisation de l'argumentation en schéma est une façon d'en faire le plan ; en outre, elle favorise grandement la précision, la pertinence et la cohérence. Évidemment, ce schéma est plus utile pour évaluer ou organiser et corriger un propos déjà formulé que pour trouver des idées. Il est en quelque sorte une manière de s'assurer de la qualité formelle de l'argumentation : il sera approprié lors de l'analyse d'un texte argumentatif et servira à s'assurer de la bonne construction d'un texte avant la rédaction finale.

Exercice 4.3

Analyse d'un texte

Cet extrait de la *Lettre à Ménécée* a pour sujet le plaisir. Repérez la thèse et les arguments.

Épicure, *Lettre à Ménécée*[6]

[...]

C'est pourquoi nous disons que le plaisir est le commencement et la fin de la vie heureuse. En effet, d'une part, le plaisir est reconnu par nous comme le bien primitif et conforme à notre nature, et c'est de lui que nous partons pour déterminer ce qu'il faut choisir et ce qu'il faut éviter ; d'autre part, c'est toujours à lui que nous aboutissons, puisque ce sont nos affections qui nous servent de règle pour mesurer et apprécier tout bien quelconque si complexe qu'il soit. Mais, précisément parce que le plaisir est le bien primitif et conforme à notre nature, nous ne recherchons pas tout plaisir, et il y a des cas où nous passons par-dessus beaucoup de plaisirs, savoir lorsqu'ils doivent avoir pour suite des peines qui les surpassent ; et, d'autre part, il y a des douleurs que nous estimons valoir mieux que des plaisirs, savoir lorsque après avoir longtemps supporté les douleurs, il doit résulter de là pour nous un plaisir qui les surpasse. Tout plaisir, pris en lui-même et dans sa nature propre, est donc un bien, et cependant tout plaisir n'est pas à rechercher [...].

---

6. Épicure, *Lettre à Ménécée*, 128-130, in *Les intégrales de philo, Épicure, Lettres*, texte intégral, notes et commentaires de Jean Salem, Paris, Nathan, 1982, p. 78.

Épicure

Épicure naît à Athènes en ~341. Il enseigne que la recherche du plaisir, celui du corps, est le but de la vie. C'est l'inclination naturelle, et non la volonté, qui nous porte vers le plaisir. Cependant, il appartient à la raison de juger si un plaisir peut entraîner un déplaisir plus grand. C'est aussi grâce à la raison que nous pouvons différencier les plaisirs nécessaires des plaisirs superflus. Il faut aussi comprendre que le plaisir se définit d'abord comme l'absence de douleur et le repos de l'âme.

Exercice 4.4

Analyse d'un texte

Après avoir lu l'extrait suivant du poème *De la nature*, établissez-en le schéma argumentatif.

Lucrèce, *De la nature*, V[7]

Dire que les dieux ont voulu établir en faveur des hommes l'ordre merveilleux qui règne dans la nature, que ce travail admirable exige nos hommages, et croire à cet ouvrage immortel ; soutenir que c'est un crime d'ébranler par des arguments impies les bases de l'édifice indestructible que la sagesse divine a construit, cela, Memmius, est une folie. En vérité quel profit notre reconnais- [5] sance pourrait-elle apporter à ces êtres immortels et fortunés pour les amener à faire de nos plaisirs le but de leurs travaux ? Tranquilles de toute éternité, après un si long temps d'oisiveté, qui aurait pu leur inspirer une vie active si dif- férente de la première ? La nouveauté ne plaît qu'à ceux dont le sort est mal- heureux, mais ces êtres immortels, n'ayant jamais connu l'infortune, dont la vie [10] se passait dans une sérénité perpétuelle, comment auraient-ils pu se laisser prendre à l'attrait de la nouveauté ?

Dira-t-on qu'ils languissent dans l'horreur des ténèbres et qu'une sombre tris- tesse les accablait jusqu'au moment où brilla l'éclat de la nature naissante ? Quel malheur y aurait-il eu à ce que nous ne fussions pas nés ? Celui qui est [15] entré dans la vie doit désirer y rester tant que la volupté la rend supportable, mais l'être qui est dans le néant peut-il regretter la lumière et les plaisirs qu'il ne connaît pas ?

Où donc les dieux du monde auraient-ils pris, d'ailleurs, l'idée et le plan de la construction du monde et même de la race humaine ? Comment ont-ils su ce [20] qu'ils voulaient faire, et l'ont-ils vu dans leur pensée ? Comment auraient-ils connu la force inhérente aux atomes, de quelle manière ils pouvaient se

7. Lucrèce, *De la nature*, V, cité par Georges Pascal in *Les Grands Textes de la philosophie*, © Bordas, Paris 1986, © Larousse-Bordas, Paris 1996, p. 57-58.

combiner, si la nature ne leur eût donné un modèle de création ? Car depuis
une infinité de siècles, les éléments innombrables de la matière, heurtés dans
25 tous les sens, entraînés par leur propre poids, se sont assemblés de toutes les
manières, essayant toutes les combinaisons capables de créer les êtres, de sorte
qu'il n'est pas surprenant qu'ils aient rencontré à la fin l'ordre et le mouvement
qui enfantèrent le monde, et qui le renouvellent tous les jours.

Quand même la puissance créatrice des éléments ne me serait pas connue, je
30 n'en serais pas moins décidé à affirmer, par un grand nombre d'autres raisons,
que la nature n'est pas l'œuvre des dieux, tant elle se montre défectueuse !

Lucrèce

Lucrèce vit de ~98 à ~55. Poète et philosophe romain, il est l'auteur d'un long
poème philosophique, *De la nature*, écrit en latin, dans lequel il expose et interprète la physique d'Épicure : l'univers s'explique par des causes matérielles ; les
objets et les êtres vivants résultent de la combinaison d'atomes. En ce sens,
l'âme ne survit pas au corps ; la peur de la mort est donc vaine. L'éthique épi-
curienne est aussi présente dans ce poème : le bonheur raisonné consiste en
l'absence de douleur et de trouble, et en la paix intérieure. Lucrèce développe
l'idée que la connaissance de la nature dissipe la crainte des dieux et que celle-ci
constitue une entrave à l'esprit humain. La Providence, sorte de sagesse divine
qui gouvernerait le monde, ne joue aucun rôle dans l'histoire humaine.

DES ARGUMENTS PERTINENTS

Sont pertinents les arguments qui sont en rapport avec la thèse et visent à la
justifier ; ils s'appuient sur des faits, des connaissances ou des valeurs qui soutiennent effectivement la thèse. Il faut, dans le développement d'un argument,
mettre en évidence son lien avec la confirmation de la thèse.

DES ARGUMENTS COHÉRENTS

Cohérent
Qui présente une
liaison, un rapport
étroit d'idées qui
s'accordent entre
elles, ne se contre-
disent pas.

Pour qu'une argumentation soit jugée **cohérente**, les raisonnements doivent être
valides : les règles élémentaires de la logique devront donc être appliquées.

L'argumentation doit de plus être développée selon une ligne directrice.
Les digressions inopportunes, la pensée circulaire, les différences marquées de
niveaux d'argumentation et les contradictions rendront une argumentation in-
cohérente. En vertu de cette même exigence de cohérence, les principes ou les
valeurs défendus, ainsi que le sens des concepts, doivent demeurer constants.

DES ARGUMENTS SUFFISANTS

En plus d'être cohérente et pertinente, une argumentation doit être suffisamment forte pour convaincre. Nous jugeons de la suffisance d'une argumentation à sa force, à son poids.

Ainsi, les arguments doivent être appuyés sur une documentation sérieuse, issue des textes de la philosophie. L'argumentation doit en outre tenir compte de toutes les dimensions importantes du sujet ; un recours aux différents champs de la philosophie et du savoir peut alors être utile. De plus, les arguments doivent être vrais pour être satisfaisants, encore que tout argument vrai ne suffise pas à convaincre. Il est aussi nécessaire que les concepts soient bien définis, car un argument qui utilise un concept mal délimité perd tout son poids.

Enfin, le critère de suffisance est plus exigeant que celui de pertinence quant au lien entre l'argument et la thèse. En effet, un argument qui a un rapport possible avec la thèse peut à la rigueur être pertinent, mais sa relation avec celle-ci doit être nécessaire pour qu'il soit suffisant.

AIDE-MÉMOIRE

Les étapes à suivre dans l'analyse d'un texte

1. *Repérer les arguments.*
2. *Faire le plan logique (ou le schéma) de l'argumentation.*
3. *Relever les faits, les valeurs, les connaissances qui sont à la base de l'argumentation.*
4. *Juger de la pertinence, de la cohérence et de la suffisance de l'argumentation.*

Les étapes à suivre dans la rédaction d'un texte

Préparation

1. *Explorer les champs de la philosophie et du savoir qui peuvent fournir des arguments à l'appui de la thèse.*
2. *Trouver les faits et les valeurs qui serviront de base à l'argumentation.*
3. *Formuler des arguments*
   a) *d'ordre rationnel ;*
   b) *pertinents : démontrant la validité de la thèse ;*
   c) *cohérents : conformes à la logique et conduisant à l'acceptation de la thèse de façon nécessaire ;*
   d) *suffisants en nombre et en qualité.*
4. *Faire le plan (ou le schéma) de l'argumentation.*
5. *Définir si nécessaire les concepts philosophiques.*

Rédaction

Rédiger dans un langage clair chacun des arguments de façon

a) à les expliquer ;

b) à les illustrer ;

c) à démontrer en quoi ils soutiennent la thèse.

Exercice 4.5

Analyse d'un texte

Après avoir lu l'extrait suivant de la *Lettre à Ménécée*, répondez aux questions qui s'y rapportent.

Épicure, *Lettre à Ménécée*[8]

Prends l'habitude de penser que la mort n'est rien pour nous. Car tout bien et tout mal résident dans la sensation : or la mort est privation de toute sensibilité. Par conséquent, la connaissance de cette vérité que la mort n'est rien pour nous nous rend capables de jouir de cette vie mortelle, non pas en y ajoutant la pers-
5 pective d'une durée infinie, mais en nous enlevant le désir de l'immortalité. Car il ne reste plus rien à redouter dans la vie, pour qui a vraiment compris que hors de la vie, il n'y a rien de redoutable. On prononce donc de vaines paroles quand on soutient que la mort est à craindre non parce qu'elle sera douloureuse étant réalisée, mais parce qu'il est douloureux de l'attendre. Ce serait en effet une
10 crainte vaine et sans objet que celle qui serait produite par l'attente d'une chose qui ne cause aucun trouble par sa présence.

Ainsi celui de tous les maux qui nous donne le plus d'horreur, la mort, n'est rien pour nous, puisque, tant que nous existons nous-mêmes, la mort n'est pas, et que, quand la mort existe, nous ne sommes plus. Donc la mort n'existe ni pour
15 les vivants ni pour les morts, puisqu'elle n'a rien à faire avec les premiers, et que les seconds ne sont plus. Mais la multitude tantôt fuit la mort comme le pire des maux, tantôt l'appelle comme le terme des maux de la vie. Le sage, au contraire, ne fait pas fi de la vie et il n'a pas peur non plus de ne plus vivre : car la vie ne lui est pas à charge, et il n'estime pas non plus qu'il y ait le moindre mal à ne plus
20 vivre. De même que ce n'est pas toujours la nourriture la plus abondante que nous préférons, mais parfois la plus agréable, pareillement ce n'est pas toujours la plus longue durée qu'on veut recueillir, mais la plus agréable.

---

8. Épicure, *Lettre à Ménécée*, 124-126, in *Les intégrales de philo, Épicure, Lettres*, texte intégral, notes et commentaires de Jean Salem, Paris, Nathan, 1982, p. 76-77.

1. Repérez les arguments au soutien de la thèse.
2. Faites le plan logique (ou le schéma) de l'argumentation.
3. Relevez les faits, les valeurs, les connaissances qui sont à la base de l'argumentation.
4. Jugez de la pertinence, de la cohérence et de la suffisance de l'argumentation.

Exercice 4.6

Rédaction d'un texte

1. Choisissez un sujet qui vous intéresse, susceptible de faire l'objet d'une discussion philosophique.
2. En reprenant les étapes étudiées, dont vous trouverez le tableau récapitulatif en annexe aux pages 86 et 87, élaborez une thèse et des arguments à l'appui de celle-ci.

LES OBJECTIONS

L'argumentation n'est pas un exposé; elle est une discussion et elle tient du dialogue. Il arrive que l'échange soit direct: deux ou plusieurs personnes participent à une conversation. Il est alors possible de s'entendre sur certains points, de confronter immédiatement les arguments, d'éclaircir les ambiguïtés. Dans un texte, l'interlocuteur est absent; l'argumentateur intériorise donc l'autre, il suppose les points de consensus, prévoit les objections et décèle les ambiguïtés.

En tant que procédé contradictoire, l'argumentation suppose un mouvement de l'esprit qui va d'une position vers les positions différentes ou contraires afin de confronter les idées. Cela exige de se livrer à l'exercice difficile de penser contre soi-même, mais c'est une méthode pour faire progresser la pensée.

La thèse et les arguments qui la soutiennent seront ainsi pesés et mesurés grâce à la formulation d'objections. Celles-ci sont les arguments qui tendent à invalider la thèse soit en défendant une thèse différente ou contraire, soit en attaquant les arguments qui ont été présentés à l'appui de la thèse. On pourra faire la critique de la pertinence, de la cohérence et de la suffisance des arguments, et particulièrement remettre en question les faits, les valeurs et les connaissances de l'argumentation, ainsi que discuter les définitions de concepts. On pourra également critiquer les conséquences de la thèse.

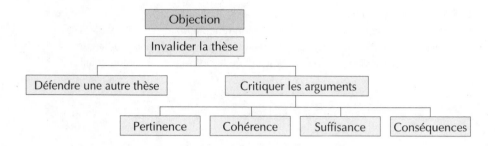

L'objection n'a pas comme seul but de faire rejeter la thèse ; la critique des arguments peut avoir pour effet de mettre en lumière la nécessité de les enrichir, et la confrontation de plusieurs thèses élargira les possibilités de la pensée. De plus, le processus contradictoire conduira souvent à un approfondissement de la réflexion. Par exemple, un désaccord sur la valeur de la vérité des sciences humaines, comparativement à celle des sciences exactes, pourra conduire à une réflexion sur la vérité, sa possibilité, ses conditions.

Il peut aussi arriver que la thèse première puisse s'enrichir de certains éléments d'une thèse différente ou contraire. Par exemple, la thèse selon laquelle l'avortement doit être aisément accessible aux femmes pourra s'enrichir des arguments de la thèse des opposants à l'avortement : on pourra admettre que ce recours doit avoir un caractère exceptionnel et qu'il ne peut pas être considéré comme un moyen de contraception, qu'il ne doit pas être pris à la légère, compte tenu de l'importance qu'il faut accorder à l'existence d'un être humain. Les objections pourront toutefois servir à **consolider** la thèse, si elles paraissent faibles ou facilement réfutables.

Consolider
Affermir, fortifier, renforcer.

La recherche des objections fait appel à une démarche semblable à celle par laquelle on trouve les arguments. Elles doivent satisfaire aux mêmes exigences de rationalité, de pertinence, de cohérence et de suffisance. Nous verrons quelles sont les principales façons d'apporter des objections à un texte argumentatif et quelle est la manière de les réfuter.

LES ARGUMENTS À L'APPUI D'AUTRES THÈSES

Une façon d'invalider une thèse est de convaincre de la validité d'une thèse différente ou contraire. Ainsi, à une thèse qui veut que le déficit budgétaire soit la cause de la crise économique, on pourra opposer une thèse contraire qui prétend qu'il en est plutôt l'effet. Ou encore, on pourra proposer une thèse différente, par exemple que c'est la concentration de la richesse mondiale dans les mains de quelques personnes qui cause les difficultés économiques actuelles. Les arguments développés pour convaincre d'une thèse différente ou contraire devront évidemment tenir compte des arguments qui soutiennent la première thèse, et il faudra mettre en évidence qu'ils sont mieux fondés que les premiers. En effet, il n'est pas question de développer dans un même texte deux discours parallèles qui seraient en quelque sorte un dialogue de sourds.

Ces objections seront réfutées en apportant de bonnes raisons de revenir à la première thèse.

LA CRITIQUE DE LA PERTINENCE D'UN ARGUMENT

Les arguments non pertinents sont irrecevables. Ils seront rejetés d'emblée. On ne s'attardera pas à les discuter plus avant. On critique la pertinence d'un argument en démontrant qu'il n'est pas **probant**, soit parce qu'il est sans relation avec la thèse ou parce que son rapport celle-ci est trop indirect. Soulignons que dans un texte argumentatif on cherche à éviter les arguments non pertinents, il est donc peu probable que l'on puisse développer ce genre d'objections. Mais dans le cas où un argument est **paradoxal** ou difficile à saisir, une objection sur sa pertinence pourra être l'occasion de donner plus d'explications au moment de la réfutation.

Probant
Qui prouve de manière concluante, convaincante, décisive.

Paradoxal
Qui heurte le bon sens. Se dit en logique d'une proposition qui est à la fois vraie et fausse.

Par extension, on peut s'en prendre à la pertinence du champ dans lequel est située l'argumentation. Par exemple, un argument favorable à la peine de mort, qui se situerait dans le champ de l'économie en invoquant le coût élevé de l'entretien et de la surveillance des prisonniers, pourrait être considéré comme non pertinent par rapport à des arguments qui se situeraient dans le champ de l'éthique et qui feraient appel au droit à la vie, au caractère violent de la sanction ou à la nécessité d'interdire toutes les formes de meurtre, y compris par la justice. Il serait faible aussi face à des arguments d'ordre épistémologique, qui feraient appel à l'impossibilité de juger objectivement sans faire intervenir des valeurs personnelles (qu'on pense à l'incidence du racisme et du sexisme). Un premier argument qui se serait situé lui-même dans le champ de l'éthique, et qui aurait fait appel à la nécessité d'assurer la sécurité des citoyens les plus faibles contre les crimes des récidivistes, aurait mieux résisté à ce type d'objection.

Il faut bien distinguer la force et la beauté des paroles de la force et de l'évidence des raisons.

Nicolas Malebranche, *De la recherche de la vérité* (1674)

LA CRITIQUE DE LA COHÉRENCE D'UN ARGUMENT

L'argument incohérent est également irrecevable. Pour attaquer la cohérence d'une argumentation ou d'un argument, on doit démontrer la non-validité des raisonnements ou la contradiction entre des arguments. Par extension, il est possible de démontrer que l'argumentation et la thèse vont à l'encontre des valeurs que l'auteur croit défendre. Dans le cas où le rédacteur est conscient qu'il peut y avoir incohérence apparente dans son argumentation, il aura avantage à la mettre en lumière par une objection, afin de dissiper tout malentendu lors de la réfutation.

LA CRITIQUE DE LA SUFFISANCE D'UN ARGUMENT

Une argumentation peut être cohérente et pertinente par rapport à la thèse, mais ne pas avoir une force probante suffisante pour convaincre. L'argument insuffisant est recevable ; on pourra continuer à le discuter. Les causes de l'insuffisance sont multiples : une documentation inadéquate, la fausseté de l'argument, sa superficialité, l'**occultation** d'aspects importants du sujet, l'imprécision de la définition des concepts, le fait que le rapport avec la thèse ne soit pas nécessaire, mais simplement possible ou probable.

Occultation
Action d'occulter, c'est-à-dire de cacher, de rendre peu visible.

Lorsque, par exemple, une personne soutient qu'il faut s'opposer à l'avortement parce qu'il s'agit d'un meurtre, elle pèche par insuffisance de documentation ; en effet, si elle qualifie l'avortement de meurtre, c'est qu'elle est mal informée de toute la problématique qui entoure le statut du fœtus. De plus, si c'est là son seul argument, elle occulte plusieurs aspects du sujet, comme la qualité de la vie de l'enfant et de la mère. Et enfin, elle définit le concept de meurtre de manière imprécise, car il exige la mort d'un être humain (généralement caractérisé comme étant né et viable). Par ailleurs, l'argumentation à l'effet que nous devons être contre l'avortement parce qu'il occasionne la mort de plusieurs femmes pourrait être pertinente et avoir beaucoup de poids, mais elle est insuffisante en raison de sa fausseté. Une autre illustration de l'insuffisance d'une argumentation pourrait être le raisonnement suivant : « il faut être contre l'avortement, sinon il deviendra une forme courante de contraception » ; le lien entre l'argument et la conclusion est possible, mais non nécessaire.

La critique de la suffisance de l'argumentation peut se faire principalement par une critique des faits, des valeurs et des connaissances, et par une critique des définitions.

On peut répondre à un argument en mettant en question l'existence des faits sur lesquels il s'appuie, leur interprétation ou leur valeur probante. On peut aussi mettre en doute la fiabilité des connaissances sur lesquelles se fonde l'argumentation. Il est également possible de discuter du bien-fondé des valeurs admises.

De plus, une argumentation implique des définitions implicites ou explicites de concepts. Celles-ci peuvent faire l'objet d'une critique relative à l'extension du concept (les réalités auxquelles il s'applique) ou encore à sa compréhension (les attributs qu'on lui prête). Par exemple, l'argument précédemment cité, à l'effet que l'avortement est un meurtre, implique une définition des concepts d'humain et de meurtre. Il s'agit de savoir si le fœtus se situe dans l'extension du concept d'humain[9], et d'établir si le caractère humain de l'être dont on a causé la mort est un attribut du concept de meurtre[10].

LA CRITIQUE DES CONSÉQUENCES

On peut attaquer une thèse en mettant en lumière les conséquences de son acceptation. On force ainsi l'interlocuteur à mettre en doute, à nuancer, voire à rejeter sa thèse, non en critiquant les arguments apportés à son appui, mais en lui en faisant voir certaines des conséquences.

Ainsi, l'affirmation selon laquelle les médecins doivent poursuivre les traitements entrepris est-elle toujours justifiée si elle a pour conséquence de cautionner l'acharnement thérapeutique ? De la même façon, la conviction que tout citoyen a droit à la libre expression de sa pensée n'est-elle pas ébranlée si elle a pour conséquence de favoriser l'expression de propos racistes ou sexistes ?

LA RÉFUTATION DES OBJECTIONS

Les réfutations sont des arguments qui vont à l'encontre des objections. Elles ont pour but de justifier le maintien de la thèse défendue. À cette fin, elles se portent à la défense des arguments en confirmant leur valeur (pertinence, cohérence, suffisance) et en justifiant leurs fondements ; elles réitèrent les définitions de concepts et disposent des conséquences objectées en les acceptant ou en rejetant leur pertinence.

Toutes les objections doivent être réfutées. Si l'une ou plusieurs d'entre elles se révèlent irréfutables, il faut les admettre, nuancer ou abandonner des arguments, modifier la thèse en conséquence, voire y renoncer.

---

9. Le *Code criminel*, à l'article 223 (1), prête au concept d'humain l'extension suivante :
   « Un enfant devient un être humain au sens de la présente loi lorsqu'il est complètement sorti, vivant, du sein de sa mère :
   a) qu'il ait respiré ou non ;
   b) qu'il ait ou non une circulation indépendante ;
   c) que le cordon ombilical soit coupé ou non. »
   Code criminel, S.R.C., 1970, c. C-34.
10. Le *Code criminel*, à l'article 222, stipule que :
   « (1) Commet un homicide quiconque, directement ou indirectement, par quelque moyen, cause la mort d'un être humain.
   (2) L'homicide est coupable ou non coupable.
   (3) L'homicide non coupable ne constitue pas une infraction.
   (4) L'homicide coupable est le meurtre, l'homicide involontaire coupable ou l'infanticide. »
   Code criminel, S.R.C., 1970, c. C-34.

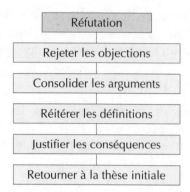

L'ORGANISATION DU DISCOURS

En introduction à un discours argumentatif, on annonce le sujet en le problématisant (soulever les questions, souligner les enjeux, suggérer des pistes de réponses), on pose la thèse en soulignant ses enjeux et on fait connaître les parties du développement. Lors du développement, on expose chaque argument, on formule les objections et on les réfute. En conclusion, on rappelle la thèse et on synthétise l'argumentation ; on crée une ouverture sur les conséquences de la thèse ou sur d'autres questions soulevées par le sujet. Il n'est pas exclu que la conclusion fasse état de nuances à apporter à la thèse initiale, la rejette sans suggérer une nouvelle position ou suspende le jugement en raison d'une **aporie**.

Aporie
Impossibilité de choisir entre des opinions également argumentées ; difficulté logique ou d'ordre rationnel insoluble.

Tout ce qui a été l'objet de réflexion lors de la préparation d'un discours argumentatif n'a pas à être dit ou écrit : il faut faire des choix. La pensée doit être bien servie par le discours qui sera clair, vivant et original. Bien que l'analyse préalable soit rigoureuse, le discours doit, sans abandonner cette rigueur, faire preuve de souplesse, et il peut se permettre une certaine fantaisie. Le style appartient à l'auteur : il reflète sa personnalité.

AIDE-MÉMOIRE

Les étapes à suivre dans l'analyse d'un texte

1. *Imaginer une thèse différente de ou contraire à celle de l'auteur.*
2. *Critiquer la pertinence, la cohérence, la suffisance des arguments.*
3. *Vérifier l'existence des faits et des connaissances appuyant l'argumentation et discuter les valeurs.*
4. *Faire la critique des définitions de concepts philosophiques.*
5. *Évaluer les conséquences de l'argumentation et de la thèse, et en faire la critique.*
6. *Formuler des objections à la thèse.*
7. *Formuler un jugement sur le bien-fondé de la thèse de l'auteur.*
8. *Proposer des modifications à la thèse ou à l'argumentation qui les amélioreraient.*

Les étapes à suivre dans la rédaction d'un texte

Préparation

1. *Prévenir les objections*
   a) *en vérifiant les faits et les connaissances qui soutiennent notre argumentation ;*
   b) *en discutant les valeurs ;*
   c) *en faisant la critique de la pertinence, de la cohérence et de la suffisance de nos arguments ;*
   d) *en discutant les définitions de concepts philosophiques ;*
   e) *en évaluant les conséquences de l'argumentation.*
2. *Formuler les objections*
   a) *en imaginant des thèses différentes de ou contraires à celle que l'on défend ;*
   b) *en apportant des arguments à l'appui de ces thèses ;*
   c) *en mettant en lumière les faiblesses apparentes de sa propre argumentation.*

Rédaction

1. *Rédiger dans un langage clair chacune des objections de façon*
   a) *à les expliquer ;*
   b) *à les illustrer ;*
   c) *à démontrer en quoi elles infirment la thèse.*
2. *Réfuter les objections*
   a) *en répondant aux arguments soutenant une thèse différente ou contraire par la justification d'un retour à la thèse défendue ;*
   b) *en répondant aux arguments qui mettent en question la thèse ou les arguments qui la soutiennent de manière à les réhabiliter ;*
   c) *en acceptant une modification de la thèse s'il y a lieu.*
3. *Rédiger les réfutations de façon*
   a) *à les expliquer ;*
   b) *à les illustrer ;*
   c) *à démontrer en quoi elles justifient le retour à la thèse.*

Exercice 4.7

Rédaction d'un texte

Rédigez sur un sujet de votre choix un texte argumentatif philosophique.

NOUS SOMMES ICI
PARCE QUE NOUS
CROYONS À LA
VIE

Mourons pour des idées, d'accord, mais de mort lente…
Georges Brassens

ANNEXE I
LES SOPHISMES

Étymologiquement, le mot « sophisme » provient du grec *sophisma*, « invention habile », puis « trait d'esprit propre aux *sophistes* ». Le sophisme est un argument ou un raisonnement erroné malgré une apparence de vérité. Il est généralement construit dans l'intention de tromper, à la différence du paralogisme, qui est une erreur de raisonnement commise sans intention de tromper.

Nous présentons dans cette annexe les sophismes les plus fréquents. Certains prétendent garantir la valeur de vérité d'une affirmation par la qualité ou le nombre de celui ou de ceux qui partagent la même opinion ; *a contrario*, d'autres se servent d'un artifice semblable pour prouver la fausseté d'une affirmation par le peu de valeur de son auteur. Quelques sophismes s'appuient sur les sentiments de l'auditeur ou du lecteur, sur sa confiance en la tradition ou en la nouveauté pour le convaincre d'une opinion. Il y a aussi ceux qui sont des attaques déloyales contre la thèse ou les arguments de la partie adverse. Enfin, un dernier groupe de sophismes enfreint les règles de la logique tout en donnant l'illusion de s'y conformer.

L'appel à la majorité

Il faut bien admettre qu'il peut arriver à un menteur de dire la vérité et à une personne estimable et bien informée de faire erreur. Il peut aussi arriver que tout le monde se trompe et qu'une personne marginale et isolée défende une vérité que la majorité admettra comme valable plus tard. Fonder la vérité d'un propos sur la valeur de la personne ou du groupe de personnes qui parlent, c'est renoncer à utiliser sa raison pour juger. Nous substituons alors la confiance aveugle à l'analyse et au jugement.

L'un des sophismes de ce genre est l'appel à la majorité, qui fonde la valeur d'une thèse sur le fait que la plupart des gens l'ont acceptée. Cette façon de s'appuyer sur le consensus est inacceptable parce qu'elle conduit à baser ses opinions sur des préjugés populaires ; en effet, l'opinion générale se fait trop souvent à partir de sentiments mal définis et à la suite de manipulations de toutes sortes plutôt qu'en prenant comme point de départ une analyse rationnelle.

L'argument faisant appel à l'approbation de la majorité trouve sans doute sa force dans le sentiment de sécurité que peut procurer le fait de penser comme tout le monde. Il est efficace dans les faits, mais nul en raison. L'énoncé suivant est un exemple de ce type d'argument : « Tout le monde s'accorde à dire qu'il est prioritaire pour nos sociétés de réduire le déficit budgétaire, il est donc irréaliste de vouloir maintenir nos programmes sociaux. » Que penser alors de l'argument suivant qui avait cours il y a quelques siècles : « Tout le monde s'accorde à dire que le pouvoir d'un roi est indispensable pour maintenir l'ordre social et, en conséquence, la démocratie est une utopie » ?

L'appel au clan

L'appel au clan est un argument qui consiste à faire accepter une thèse parce qu'elle est endossée par un certain groupe de personnes que le lecteur ou l'auditeur juge estimables.

Cet artifice de la persuasion mise sur le désir de marquer son appartenance à un groupe social estimé. Par exemple, si les jeunes, les gens instruits et les personnes qui réussissent pensent d'une certaine façon, on sentira le besoin de s'associer à ces groupes en partageant leur opinion.

L'appel à l'autorité

Souvent, on nous suggère d'adhérer à une opinion parce qu'une personne dont nous reconnaissons le mérite le fait. Il est certain que chacun ne peut pas reprendre le processus de la connaissance dans tous les domaines avant d'admettre une thèse. Nous faisons confiance à différents spécialistes en de multiples circonstances ; si une communauté de chercheurs donnent leur aval à une théorie après analyse, on peut raisonnablement accorder de la valeur à cette dernière. Cependant, la confiance ne doit pas être aveugle et il faut se réserver le privilège d'exercer son jugement ; il arrive qu'une personne dont la compétence est reconnue paralyse l'avancement des recherches parce qu'une trop grande confiance en ses théories interdit le questionnement.

De plus, il ne faut accorder de crédibilité qu'à la personne qui parle de ce qu'elle connaît bien. Ainsi, si quelqu'un dont on reconnaît l'autorité dans une matière émet une opinion dans un domaine étranger à sa spécialisation, il n'aura pas de crédibilité particulière. Les publicités où des vedettes vantent les mérites d'un produit de consommation sont fondées sur ce genre de sophismes. Quel crédit devons-nous accorder, par exemple, à un joueur de hockey ou à une vedette de la chanson qui cherche à nous vendre une automobile ou un shampoing ?

L'appel à sa propre compétence

On peut aussi tenter de faire admettre une thèse en évoquant sa propre compétence et en usant d'autorité pour gagner la confiance de l'auditeur ou du lecteur. L'argument pourrait prendre la forme suivante : « Moi qui ai tant d'années d'expérience en ce domaine, moi dont la compétence est reconnue, moi qui ai vécu la même situation que vous, comment pouvez-vous ne pas me faire confiance ? » Bien que l'expérience d'une personne et ses compétences ne soient pas négligeables et l'aident à se faire une opinion éclairée et nuancée, elles ne sont pas suffisantes pour faire la démonstration de la valeur d'une thèse.

Une autre façon plus triviale d'utiliser ce sophisme est de prétendre qu'une thèse est valable parce qu'elle correspond à notre opinion, comme si le fait de penser une chose lui conférait de la vérité. Ce genre de prétention est évidemment une négation de la valeur de l'analyse et de la démonstration.

L'attaque à la personne ou argument ad hominem

Cet argument vise à convaincre de la fausseté d'une thèse en se fondant sur le peu de valeur intellectuelle ou morale de la personne qui la soutient. Au lieu de s'en prendre à la crédibilité de la thèse, on attaque la personne qui la défend : comment endosser en effet une théorie soutenue par un chercheur qui s'est déjà trompé, ou comment accorder crédit aux propos de quelqu'un qui s'est mal conduit ou a déjà menti ? En raison, ces arguments sont inadmissibles, car la valeur d'un propos se juge indépendamment de la personne qui le tient.

Un autre mode d'utilisation de ce genre de sophisme est le *procès d'intention* ; au lieu de mettre en cause la valeur d'un propos, on fait appel aux intentions répréhensibles de celui qui le tient. On pourra, par exemple, inciter les gens à rejeter les dénonciations d'un chef syndical à l'endroit des politiques gouvernementales en prétendant que ce dernier cherche ainsi à se donner du pouvoir.

L'appel aux sentiments

Faire appel à un sentiment chez une personne pour la persuader d'accepter une thèse est une façon d'éviter de faire la démonstration de son bien-fondé. Ce sentiment pourra être la pitié, la peur, l'amour, la fierté, l'insécurité. Par exemple, au lieu d'analyser rationnellement la question de l'avortement, on projettera des films dans lesquels on fera appel à la pitié des gens pour le fœtus, et où on les impressionnera en leur faisant sentir qu'ils auraient pu ne pas naître si leur mère avait eu recours à l'avortement. Ces arguments fallacieux bloquent la réflexion.

L'appel à la tradition

Il peut être rassurant de répéter le passé, quitte à reproduire des erreurs. L'appel à la tradition est un argument qui, pour convaincre du bien-fondé d'une thèse, invoque le fait qu'elle est depuis longtemps admise. On pourrait par exemple soutenir qu'il est normal que ce soient les femmes qui prennent en charge les tâches domestiques puisque par le passé elles l'ont toujours fait. Cet argument est faible, car il entend juger le présent à la seule lumière du passé, sans autre forme d'analyse. N'est-il pas effarant de se représenter ce que serait la condition humaine si au cours de l'histoire les choses n'avaient pas changé ?

L'appel à la nouveauté

On peut inverser le processus de l'appel à la tradition et avoir recours à la nouveauté d'une thèse pour en prouver la valeur ; là encore, l'argument est faible, car ce qui est nouveau n'est pas nécessairement valable. La publicité se sert souvent de ce type d'argument lorsqu'elle cherche à nous convaincre d'acheter un produit en invoquant le motif qu'il est le plus récent sur le marché.

La caricature

Certains sophismes ne sont pas destinés à appuyer une thèse, mais à invalider la thèse adverse et ses arguments. À ce type appartient le sophisme de la caricature ; il consiste à déformer la thèse ou les arguments afin de les rendre manifestement non crédibles. On pourra ainsi rendre une position trop radicale ou simpliste. Par exemple, si des gens affirment qu'il faut remédier aux échecs scolaires en incitant les étudiants à diminuer les heures où ils peuvent occuper un emploi rémunéré, on pourra caricaturer leur position en leur faisant dire qu'il faut interdire aux étudiants de travailler. Pourtant, les tenants de cette thèse ne préconisent qu'une diminution des heures de travail.

L'exagération des conséquences

Ce sophisme infirme une thèse ou un argument en en exagérant les conséquences néfastes. L'analyse des conséquences d'une thèse est un procédé qui permet d'évaluer sa valeur. Cependant, le fait d'imaginer une chaîne de conséquences catastrophiques possibles, mais dont rien ne permet de croire qu'elles soient nécessaires, est un sophisme. Par exemple, on pourra tenter d'invalider l'idée qu'il faut légaliser l'euthanasie, pour les malades en phase terminale qui en font la demande, en faisant valoir que, si l'on permet de causer la mort dans ce cas, on le permettra bientôt dans le cas où le malade n'est pas consentant, et ensuite dans le cas des handicapés mentaux et, enfin, dans le cas des personnes socialement indésirables. La conséquence est possible, mais rien ne permet de la croire probable.

Le faux dilemme

Le dilemme est une alternative contenant deux propositions contraires ou contradictoires entre lesquelles il faut choisir. Le sophisme du faux dilemme consiste à faire croire qu'il n'y a de choix qu'entre deux propositions alors que d'autres options sont possibles. De plus, l'une des deux propositions de l'alternative est manifestement inacceptable, d'où la nécessité de choisir l'autre. Par exemple, la proposition suivante : « Ou bien j'étudie en médecine et je suis un gagnant dans la vie, ou bien je n'étudie pas et je passerai ma vie dans la misère. » D'une part, il y a d'autres domaines d'étude que la médecine qui assurent la sécurité financière et, d'autre part, le fait de ne pas suivre des études universitaires ne condamne pas nécessairement à la misère.

La généralisation hâtive

Certains sophismes donnent l'illusion du raisonnement logique, mais pèchent par manque de rigueur. La généralisation hâtive en est un exemple. Elle est une induction faite à partir d'un trop petit nombre de cas ou d'un échantillonnage trop peu représentatif pour que la conclusion soit valide. Ce sophisme est souvent utilisé dans les propos sexistes, racistes ou sectaires. Par exemple, je ne peux conclure que tous les Sud Africains blancs sont racistes du fait que plusieurs d'entre eux votent pour un parti qui prône l'inégalité des races.

La fausse analogie

Le sophisme de la fausse analogie consiste à se servir de comparaisons afin de frapper l'imagination et de convaincre. Comme le raisonnement par analogie, il affirme que la relation existante entre deux réalités est transposable à la relation entre deux autres réalités. Cependant, la faiblesse du raisonnement vient de la non-pertinence de la comparaison. Par exemple, on pourra dire que, comme le loup mange la gazelle, il est normal que dans nos sociétés le plus fort exploite le plus faible. Est-il vraiment pertinent de faire un parallèle entre les réalités du monde animal et celles des sociétés d'humains raisonnables et capables de faire des choix moraux ?

La fausse causalité

La recherche des causes est le fondement du processus de connaissance, mais encore faut-il que le lien de causalité soit sérieusement établi entre deux phénomènes pour que l'on puisse affirmer que l'un est la cause de l'autre. La pensée magique voit souvent des liens de cause à effet entre des événements qui ne sont que concomitants, c'est-à-dire simultanés ou coexistants. Le sophisme de la fausse causalité consiste à suggérer à tort un lien causal entre des événements qui ne font que se succéder dans le temps ou qui apparaissent toujours ensemble. Ainsi, si l'augmentation des familles monoparentales dans un groupe social va de pair avec la hausse de la criminalité, on pourrait être tenté d'établir un lien de causalité entre ces deux phénomènes alors que cela peut indiquer que ces derniers sont la conséquence d'une même cause, soit la pauvreté ou la disparition des valeurs familiales.

La pétition de principe

La pétition de principe est un raisonnement circulaire qui prouve la validité de la thèse par un argument qui n'a de valeur que si la thèse est admise. Imaginons que l'on veuille prouver que tous les gestes que posent les humains visent à leur procurer du plaisir en invoquant l'argument que le but de la vie humaine est d'avoir du plaisir.

L'appel à l'ignorance

L'ignorance ne peut procurer la connaissance. Ainsi, si nous ignorons qu'une chose existe, cela ne prouve pas qu'elle n'existe pas. L'inverse est aussi vrai : si nous ne pouvons pas prouver qu'une chose n'existe pas, cela ne signifie pas qu'elle existe. Le sophisme de l'appel à l'ignorance consiste à affirmer que le contraire de ce que l'on ignore est vrai. Ainsi, on pourra prétendre que, puisqu'on n'a jamais prouvé l'influence du psychisme sur le développement du cancer, il est clair que cette influence n'existe pas.

*
*   *

Un sophisme présent dans l'argumentation n'invalide pas une thèse ; cependant, il constitue un argument dont il ne faut pas tenir compte du point de vue de l'argumentation rationnelle. Pour cette raison, il faut savoir le repérer dans le discours : une fois démasqué, il perd en efficacité. Technique habile de manipulation en vue de persuader, le sophisme doit être banni de la discussion philosophique, puisque cette dernière se veut rationnelle et respectueuse de l'autonomie de la raison.

ANNEXE II
TABLEAUX D'ANALYSE ET DE RÉDACTION

A. L'analyse d'une argumentation

LE SUJET

1. Circonscrire le problème en déterminant
    a) le sujet de préoccupation de l'auteur du texte ;
    b) les questions d'ordre philosophique soulevées implicitement ou explicitement par le sujet ;
    c) les questions d'un autre ordre (scientifique, technique, religieux, etc.) ;
    d) les champs de la philosophie dans lesquels se loge le propos (éthique, politique, anthropologique, épistémologique, etc.).

LA THÈSE
1. Repérer la thèse de l'auteur. 2. Expliquer la thèse : définir si nécessaire les termes et le sens de l'énoncé. 3. Trouver les concepts d'ordre philosophique mis en jeu par la thèse. 4. Repérer des indices de la définition que l'auteur en donne, formuler cette dernière et la discuter. 5. Déterminer si la thèse est un jugement de réalité, un jugement de valeur ou un jugement de prescription.

LES ARGUMENTS
1. Repérer les arguments. 2. Faire le schéma (ou le plan logique) de l'argumentation. 3. Indiquer les faits, les connaissances et les valeurs qui fondent l'argumentation. 4. Juger de la pertinence, de la cohérence et de la suffisance de l'argumentation. 5. Cerner les définitions de concepts philosophiques et les discuter.

LES OBJECTIONS
1. Imaginer une thèse différente de ou contraire à celle de l'auteur. 2. Critiquer la pertinence, la cohérence et la suffisance des arguments. 3. Vérifier l'existence des faits et des connaissances appuyant l'argumentation, et discuter les valeurs qui la fondent. 4. Faire la critique des définitions de concepts philosophiques. 5. Évaluer les conséquences de l'argumentation et de la thèse, et en faire la critique. 6. Formuler des objections à la thèse. 7. Formuler un jugement sur le bien-fondé de la thèse de l'auteur. 8. Proposer des modifications à la thèse ou à l'argumentation qui les amélioreraient.

B. La rédaction d'un texte argumentatif

RÉDACTION DU TEXTE	TRAVAIL DE RÉFLEXION

Introduction
1. Exposer le sujet.
2. Dégager la problématique
   a) en soulevant les questions ;
   b) en soulignant les enjeux du sujet ;
   c) en suggérant des pistes de réponse.
3. Poser la thèse.
4. En souligner les enjeux.
5. Annoncer les parties du développement.
	1. Expliciter les termes du sujet proposé afin de le comprendre.
	2. Dégager la problématique du sujet
	   a) en soulevant les questions d'ordre philosophique et en les discutant ;
	   b) en déterminant les champs de la philosophie dans lesquels elles se situent.
	3. Déterminer les concepts philosophiques utiles à la discussion du sujet.
	4. Explorer des pistes de réflexion.
	5. Choisir une thèse.
	6. Exposer l'énoncé de la thèse : en définir les termes et en expliquer le sens.
	7. Reconnaître les problèmes liés à la définition des concepts d'ordre philosophique mis en jeu par la thèse et dégager une définition.

Développement
1. Énoncer chaque argument et le développer.
 	
2. Formuler les objections, qui doivent être pertinentes, cohérentes et suffisantes.
	1. Explorer les champs de la philosophie et du savoir qui peuvent fournir les arguments à l'appui de la thèse.
	2. Déterminer les faits et les valeurs qui serviront de base à l'argumentation.
	3. Formuler des arguments
	   a) d'ordre rationnel ;
	   b) pertinents : démontrant la validité de la thèse ;
	   c) cohérents : conformes à la logique et conduisant à l'acceptation de la thèse de façon nécessaire ;
	   d) suffisants en nombre et en qualité.
	4. Faire le plan de l'argumentation.
	5. Définir si nécessaire les concepts philosophiques.
	6. Rédiger dans un langage clair chacun des arguments de façon à les expliquer, à les illustrer et à démontrer en quoi ils soutiennent la thèse
	7. Prévenir les objections en
	   a) vérifiant les faits et les connaissances qui soutiennent notre argumentation ;
	   b) discutant les valeurs ;
	   c) faisant la critique de la pertinence, de la cohérence et de la suffisance de nos arguments ;
	   d) discutant les définitions de concepts philosophiques ;
	   e) évaluant les conséquences de l'argumentation.
	8. Formuler les objections en
	   a) imaginant des thèses différentes de ou contraires à celle que l'on défend ;
	   b) apportant des arguments à l'appui de ces thèses ;
	   c) mettant en lumière les faiblesses apparentes de sa propre argumentation.

B. La rédaction d'un texte argumentatif (*suite*)

RÉDACTION DU TEXTE	TRAVAIL DE RÉFLEXION
3. Réfuter les objections de façon pertinente, cohérente et suffisante.	9. Répondre aux arguments soutenant une thèse différente ou contraire par la justification d'un retour à la thèse défendue. 10. Répondre aux arguments mettant en question la thèse ou les arguments qui la soutiennent en les réhabilitant. 11. Accepter une modification de la thèse s'il y a lieu.
Conclusion 1. Rappeler la thèse. 2. Faire une synthèse de l'argumentation en la mettant en relation avec la thèse. 3. Faire une ouverture sur les conséquences de la thèse ou encore sur d'autres questions soulevées par le sujet.	1. Faire la synthèse de l'argumentation. 2. Revenir à la thèse. 3. Souligner le caractère probant de l'argumentation. 4. Nuancer la thèse si nécessaire.

ANNEXE III
BIBLIOGRAPHIE

ALLAN, Donald J. *Aristote, le philosophe*, Louvain, Auwelaerts, 1962.

BLACKBURN, Pierre. *Logique de l'argumentation*, Saint-Laurent, Erpi, 1994.

BOUCHARD, Guy. *La nouvelle rhétorique : introduction à l'œuvre de Charles Perelman*, Québec, Les cahiers de l'ISSH, Université Laval, 1980.

BOUDRIAS, Gilles. *L'art de convaincre*, Montréal, McGraw-Hill, 1985.

BRÉHIER, Émile. *Histoire de la philosophie, tome 1, Antiquité et Moyen Âge*, Paris, P.U.F., 1981.

CHÂTELET, François. *Platon*, Paris, Gallimard, coll. Idées, 1965.

CHÂTELET, François. *Une histoire de la raison*, Paris, Seuil, coll. Points, 1992.

CLAVET, Jean-Claude et G.-Magella HOTTON. *L'apprentissage philosophique, Notes pour une introduction*, Sainte-Foy, Le Griffon d'argile, coll. Philosophie, 1996.

DEMERS, André. *Éléments de logique*, notes de cours, Laval, Collège Montmorency, département de philosophie.

DUROZOI, Gérard et André ROUSSEL. *Dictionnaire de philosophie*, Paris, Nathan, 1990.

FRAPPIER, Georges. *La méthode socratique*, Sainte-Foy, Le Griffon d'argile, coll. Philosophie, 1994.

HOTTOIS, Gilbert. *Penser la logique, Une introduction technique, théorique et philosophique à la logique formelle*, Bruxelles, De Boeck-Wesmael s.a., 1989.

HUISMAN, Denis. *Dictionnaire des œuvres clés de la philosophie*, Paris, Nathan, 1993.

IMBEAULT, Marc et Marie-Claire CLOZEL. *Le discours philosophique*, Montréal, Guérin, 1995.

LEMIEUX, Jean-Yves. *Les travaux en philo*, Rimouski, Presses pédagogiques de l'Est, 1995.

LERCHER, Alain. *Les mots de la philosophie*, Paris, Belin, coll. Le français retrouvé, 1985.

MISSIMER, Connie A. *Les chemins de la pensée critique*, traduit et adapté par Louis Simard *et al.*, [s.l.], Éditions du Virevent, 1995.

MORFAUX, Louis-Marie. *Vocabulaire de la philosophie et des sciences humaines*, Paris, Armand Colin, 1980.

PARIS, Claude et Yves BASTARACHE. *Philosopher, pensée critique et argumentation*, Québec, Éditions C.G., 1995.

PERELMAN, Chaïm et L. OLBRECHTS-TYTECA. *Traité de l'argumentation*, Paris, P.U.F., 1958.

RAFFIN, Françoise *et al. La dissertation philosophique, La didactique à l'œuvre*, Paris, Hachette éducation, 1994.

RAFFIN, Françoise *et al. La lecture philosophique*, Paris, Hachette éducation, 1995.

RUSS, Jacqueline. *Les méthodes en philosophie*, Paris, Armand Colin, 1992.

TOUSSAINT, Nicole et Gaston DUCASSE. *Apprendre à argumenter, Initiation à l'argumentation rationnelle écrite, Théorie et exercices*, Sainte-Foy, Le Griffon d'argile, coll. Philosophie, 1996.

TOZZI, Michel. *Apprendre à philosopher*, Paris, Hachette éducation, 1992.

TOZZI, Michel. *Penser par soi-même*, Lyon, Chronique sociale, 1994.

TOZZI, Michel. *Lecture et écriture du texte argumentatif en français et en philosophie*, CNDP, Centre régional de documentation pédagogique du Languedoc-Roussillon, 1995.

TREMBLAY, Robert. *Méthophilo, Méthodes pratiques pour l'étude de la philosophie, De la recherche à la rédaction du texte argumentatif philosophique*, Montréal, Chenelière/McGraw-Hill, 1996.

VIGNAUX, Georges. *L'Argumentation*, Genève, Librairie Droz, 1976.

Référence générale

Encyclopédie philosophique universelle, II, Les notions philosophiques, Dictionnaire, volume dirigé par Sylvain Auroux, Paris, P.U.F., 1990.

LE MOT DE LA FIN

La vérité se laisse difficilement cerner, et l'argumentation est une façon de l'approcher. Elle est comme la pomme qu'un peintre essaie de rendre avec exactitude, situation dont nous parle Jacques Prévert dans *Promenade de Picasso*.

PROMENADE DE PICASSO

Sur une assiette bien ronde en porcelaine réelle
une pomme pose
face à face avec elle
un peintre de la réalité
essaie vainement de peindre
la pomme telle qu'elle est
mais
elle ne se laisse pas faire
la pomme
elle a son mot à dire
et plusieurs tours dans son sac de pomme
la pomme
et la voilà qui tourne
dans son assiette réelle
sournoisement sur elle-même
doucement sans bouger
et comme un duc de Guise qui se déguise en bec de gaz
parce qu'on veut malgré lui lui tirer le portrait
la pomme se déguise en beau fruit déguisé
et c'est alors
que le peintre de la réalité
commence à réaliser
que toutes les apparences de la pomme sont contre lui
et
comme le malheureux indigent
comme le pauvre nécessiteux qui se trouve soudain à la
    merci de n'importe quelle association bienfaisante
    et charitable et redoutable de bienfaisance de charité
    et de redoutabilité
le malheureux peintre de la réalité
se trouve soudain alors être la triste proie

d'une innombrable foule d'associations d'idées
Et la pomme en tournant évoque le pommier
le Paradis terrestre et Ève et puis Adam
l'arrosoir l'espalier Parmentier l'escalier
le Canada les Hespérides la Normandie la Reinette et
    l'Api
le serpent du Jeu de Paume le serment du Jus de Pomme
et le péché originel
et les origines de l'art
et la Suisse avec Guillaume Tell
et même Isaac Newton
plusieurs fois primé à l'Exposition de la Gravitation
    Universelle
et le peintre étourdi perd de vue son modèle
et s'endort
C'est alors que Picasso
qui passait par là comme il passe partout
chaque jour comme chez lui
voit la pomme et l'assiette et le peintre endormi
Quelle idée de peindre une pomme
dit Picasso
et Picasso mange la pomme
et la pomme lui dit Merci
et Picasso casse l'assiette
et s'en va en souriant
et le peintre arraché à ses songes
comme une dent
se retrouve tout seul devant sa toile inachevée
avec au beau milieu de sa vaisselle brisée
les terrifiants pépins de la réalité.

Jacques Prévert, *Paroles*
Paris, Gallimard,
coll. Le point du jour, 1949,
p. 232-233.

INDEX

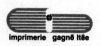

imprimerie   gagné ltée